Rhuddin

I Mam a'm holl athrawon (ar ac oddi ar y mat)

Laura Karadog

∎∎∎∎∎∎∎

ⓗ Laura Karadog / Cyhoeddiadau Barddas
Hawlfraint y cerddi newydd: ⓗ Y beirdd / Cyhoeddiadau Barddas ©
Hawlfraint y darluniau: ⓗ Luned Aaron ©

Argraffiad cyntaf: 2021
ISBN: 978-1-911584-51-3

Cyhoeddwyd gan Gyhoeddiadau Barddas.
www.barddas.cymru

Cyhoeddir gyda chymorth ariannol Cyngor Llyfrau Cymru.

Y darluniau a'r clawr: Luned Aaron.
Y dyluniad: Olwen Fowler.
Argraffwyd gan Wasg Gomer, Llandysul.

LAURA KARADOG

Rhuddin

YMDDIDDAN Y CORFF
A'R ENAID

Darluniau gan Luned Aaron

Cyhoeddiadau
barddas

Pan fo'r meddwl yn llonydd, wedi ymdawelu trwy ymroi i fyfyrdod disgybledig, a chanfod trwy'r hunan y gwir hunan, yn hwnnw yn unig yr ymhyfryda.

Pennod 6.20, *Y Fendigaid Gân*
(cyfieithiad Cymraeg o'r *Bhagavad Gita* gan yr Athro Cyril G. Williams).

Cynnwys

Cyflwyniad
Ymddiddan y Corff a'r Enaid

Fel un sydd wedi bod yn ymarfer yoga ers ugain mlynedd erbyn hyn, dwi wedi sylwi ar dwf aruthrol ym mhoblogrwydd y ddisgyblaeth hon yng ngwledydd y gorllewin, gan gynnwys Cymru. Mae'n anodd dod ar draws unrhyw un bellach sydd ddim yn gyfarwydd â yoga, ac yn fwy diweddar, meddylgarwch. Wedi dweud hynny, efallai nad ydi'r datblygiad yma'n un mor rhyfeddol â hynny. Mewn byd rhanedig, lle mae'r addewid o gael mwy o hapusrwydd yn sgil mwy o arian a mwy o ddeunydd materol wedi hen golli ei sglein, dwi'n teimlo bod nifer fawr ohonom yn synhwyro'n reddfol fod llawer o'r atebion yr ydyn ni'n chwilio amdanynt i'w canfod y tu mewn i ni'n hunain, ac nid ar y tu allan.

Dyma mae yoga, ac ymarferion fel meddylgarwch, yn ei gynnig i ni. Y cyfle i arafu ac i ddod i adnabod ein hunain yn well. Wrth gwrs, os edrychwn ar yoga heddiw gwelwn ei fod yn cael ei ddehongli mewn ffyrdd gwahanol gan wahanol bobl. Mae rhai yn ymarfer yoga fel rhan o'u rhaglen ffitrwydd er mwyn cyfuno cryfder a hyblygrwydd. I eraill mae'n ffordd o ymlacio a lleihau straen. Ond os cymerwn ni gipolwg ar hanes ac athroniaeth yoga, deallwn fod yoga yn ei hanfod yn broses o hunanholi a dod i ddeall pwy ydyn ni mewn gwirionedd. O dan dwrw'r byd ac anhrefn y meddwl, tu hwnt i stiffrwydd ac aflonyddwch y corff, beth sydd ar ôl i'w ganfod?

Mae gwreiddiau'r athroniaeth-ddisgyblaeth hon i'w cael hyd at filoedd o flynyddoedd yn ôl yn yr India. Yn yr iaith Sanskrit, mae sawl ystyr i'r gair 'yoga', ond y dehongliad mwyaf cyffredin a glywir yng nghyd-destun ymarfer yoga heddiw yw'r syniad o ddod â phethau ynghyd, neu undod. Gall hyn gyfeirio at undod rhwng y gwahanol rannau ohonon ni – y corff, y meddwl a'r enaid – a hefyd at yr undod rhyngom ni fel unigolion a'r byd mawr y tu hwnt i ni.

Yn hanesyddol, anodd iawn yw cadw gafael ar un edefyn clir o yoga. Mae'r ddisgyblaeth wedi croesi ffiniau crefyddol a diwylliannol oddi mewn a thu hwnt i'r India, ac, wrth wneud hynny, mae'n addasu i'r cyd-destun a'r oes y caiff ei dehongli a'i ymarfer ynddi.

Efallai ei bod hi felly'n naturiol bod y math o yoga sy'n cael ei ymarfer yn ein gwlad ni heddiw'n gymysgedd o syniadaeth ac ymarferion sy'n deillio'n wreiddiol o'r India, wedi'u dylanwadu gan amrywiol grefyddau a thraddodiadau'r wlad honno, a'u plethu ynghyd â'n seicoleg a'n gweledigaethau gorllewinol ni. Ond os benthyg traddodiadau o ddiwylliannau eraill, mae'n bwysig dangos parch a sensitifrwydd wrth wneud hynny. Mae'r dyfnder a'r ehangder deallusol sydd i'w ganfod yn hanes crefyddol a diwylliannol yr India ymhell y tu hwnt i orchwyl y gyfrol fechan hon, ond dwi'n eich annog i ddod i ddeall mwy am hynny os oes gennych ddiddordeb mewn yoga. Mae yna syniadau, patrymau a dylanwadau o bob math wedi siapio fy myd-olwg innau hefyd. Er enghraifft, yn ogystal â bod yn ddisgybl yoga, dwi'n Gymraes, yn Grynwraig ac yn heddychwraig. Felly er mai ar sail fy mhrofiad o yoga dwi'n siarad yn bennaf yn y gyfrol hon, yn naturiol mae yna ddylanwadau eraill i'w clywed ynddi hefyd. Maent yn rhan ohonof fi. Dydi pob dim a rennir yma, felly, ddim yn 'yoga' ac mae'n bwysig bod yn agored am hynny.

Ysbrydolwyd teitl y gyfrol hon gan y gerdd fach ddi-deitl yma o waith y bardd Waldo Williams, fy hoff gerdd yn yr iaith Gymraeg:

> Nid oes yng ngwreiddyn Bod un wywedigaeth,
> Yno mae'n rhuddin yn parhau.
> Yno mae'r dewrder sy'n dynerwch,
> Bywyd pob bywyd brau.
>
> Yno wedi'r ystorm y cilia'r galon.
> Mae'r byd yn chwâl,
> Ond yn yr isel gaer mae gwiwer gwynfyd
> Heno yn gwneud ei gwâl.

Pan ddarllenais hi am y tro cyntaf daeth â deigryn i'm llygaid gan iddi grisialu mewn modd mor syml yr hyn dwi wedi ei deimlo, ond ddim yn gallu'i fynegi. Dyna grefft y bardd. Roedd Waldo, oedd yn Grynwr, yn deall Duw fel grym a goleuni sydd i'w ganfod tu mewn i bob un ohonon ni. Yn y gerdd fach hon, mae'n defnyddio'r gair 'rhuddin' i ddisgrifio'r elfen honno sydd y tu hwnt i amser a thraul bywyd – yr hyn sy'n parhau, hyd yn oed pan fyddwn 'ni' wedi darfod.

Os mai hon yw fy hoff gerdd yn yr iaith Gymraeg, yna 'rhuddin' yw fy hoff air! Diffiniad y gair yn ôl *Geiriadur Prifysgol Cymru* yw 'Craidd a rhan galetaf coeden', ond hefyd yn ffigurol, 'Hanfod, craidd, canol; cryfder cymeriad, unplygrwydd, uniondeb, gwroldeb, dewrder, dygnwch'. Dyma'r gair sydd wedi aros efo fi drwy'r cyfnod cythryblus diweddar yn hanes ein byd. Mae cael ein gorfodi i newid ein ffordd o fyw yn llwyr o ganlyniad i'r pandemig diweddar wedi ysgwyd seiliau'n cymdeithas, a thynnu oddi wrthym nifer fawr o'r pethau yr oedden ni'n credu na allen ni wneud hebddynt cyn hynny. Bu'n gyfnod heriol ac ysgytwol i nifer fawr o bobl sydd wedi gweld anwyliaid yn dioddef, a llawer iawn wedi colli eu bywydau. Bu hefyd yn gyfnod o ailystyried ein ffordd o fyw, o ailddarganfod a gwerthfawrogi'r cyfoeth sydd i'w ganfod yn y cysylltiadau a'r gweithgareddau symlaf un. Ac mae'n gyfnod sy'n dal i ofyn am wroldeb, dewrder a dycnwch. Mae wedi profi'n rhuddin ni.

Ymadrodd sy'n deillio o destun canoloesol a gadwyd yn llawysgrif Llyfr Du Caerfyrddin yw 'ymddiddan y corff a'r enaid', sef is-deitl y gyfrol. Mae 'ymddiddan' yn golygu sgwrs neu ddeialog ac mae'r thema hon o'r corff gweledol yn sgwrsio gyda'r enaid anweledig yn un hen iawn, iawn ac i'w chanfod yn ein llenyddiaeth ers canrifoedd. Wrth gwrs, mae yna lwybrau gwahanol yn bodoli ar draws y byd i'n tywys ni ar y daith hon o ymddiddan rhwng y corff a'r enaid – yr un ohonynt yn well nac yn fwy dilys na'r llall. Yr hyn a rennir yn y gyfrol fechan hon yw fy mhrofiad i o hynny.

Gyda hynny mewn golwg, nid llyfr i ddysgu technegau yoga a myfyrio'n drylwyr a geir yma, er fy mod yn cyflwyno ambell ymarfer neu fyfyrdod ar ddiwedd pob pennod. Ond yn hytrach, dwi'n ceisio rhoi blas ar rai o'r prif themâu a'r syniadau sydd wedi profi'n werthfawr i mi dros y blynyddoedd, a cheisio eu gosod mewn geiriau sy'n gyfarwydd i ni fel Cymry sy'n siarad Cymraeg.

I'm helpu gyda'r dasg honno, dwi wedi bod yn ddigon ffodus i gael cymorth rhai o'n beirdd mwyaf dawnus, gyda cherddi sydd wedi cael eu comisiynu'n arbennig i gyd-fynd â themâu'r gyfrol. Os cymerwn ni gipolwg ar ein hanes yng Nghymru, ac ar draws diwylliannau a chrefyddau gwahanol, gwelwn fod beirdd a barddoniaeth yn chwarae rôl bwysig iawn drwy geisio darlunio mewn geiriau yr hyn sydd weithiau yn annisgrifiadwy. Aur y gyfrol hon yw'r cerddi, a dwi'n hynod o ddiolchgar i bob un o'r beirdd am eu cyfraniadau gwych.

Gair o ddiolch arbennig hefyd i'm cyfaill bore oes, a'r artist talentog, Luned Aaron, sydd wedi rhannu ei doniau â ni yn y gyfrol hon. Dim ond rhywun sydd wir yn fy adnabod fyddai wedi gallu ymateb i'r syniadau gweledol niwlog ac amwys oedd gen i yn fy mhen wrth ddechrau'r gyfrol, a dwi'n hynod o ddiolchgar am ddawn a chyfeillgarwch Luned. Diolch hefyd i Olwen Fowler am ddylunio'r gyfrol mor gelfydd a chreu cyfanwaith mor ddeniadol.

Mae'n debyg mai'r athronydd Groegaidd, Heraclitus o Ephesus, ddywedodd nad oes modd sefyll yn yr un afon ddwywaith gan fod y llif wastad yn ei haltro. Mewn geiriau eraill, yr unig beth cyson mewn bywyd yw newid. Mae'r un syniad i'w ganfod mewn yoga. Does dim byd yn para, y pethau da na'r pethau drwg. Un o'r llyfrau pwysicaf am athroniaeth glasurol yoga yw 'Edefynnau Yoga Patanjali', ac yn y llyfr hwnnw, cawn ein cyflwyno i'r syniad mai ein hymdrechion i ddal yn dynn yn y profiadau pleserus, ac i wthio oddi wrthym y profiadau amhleserus, sydd wrth wraidd dioddefaint dynol. Wrth ymarfer yoga, dysgwn sut i leihau ein dibyniaeth ar y pethau allanol mewn bywyd sydd wastad yn newid, boed yn bethau pleserus neu amhleserus. Y nod yw cryfhau ein perthynas gyda'r hyn sydd oddi mewn i ni a'r hyn sydd ddim yn newid – ein hanfod, ein craidd a'n rhuddin. Yma y cawn ddod o hyd i'r cadernid yr ydyn ni'n dyheu amdano.

Gobeithio y bydd y gyfrol fechan hon, felly, yn rhoi rhyw syniad o'r daith dwi wedi'i phrofi dros y degawdau diwethaf, gan godi ambell gwestiwn a mymryn o flys arnoch chi, ddarllenwyr, i fynd ati i ddysgu mwy am y syniadau a gyflwynir. Nid oes rhaid darllen y gyfrol o glawr i glawr. Mae'r ysgrifau, y cerddi a'r ymarferion yma er mwyn i'r darllenydd eu hystyried a'u profi fel y mynno. Anadlwch a mwynhewch y daith.

Gwreiddio

Os yw'r dre yn ddyhead — a ddenodd
  ddynion o'r dechreuad,
  mae ynom bawb ddymuniad
  i fyw yn glòs wrth gefn gwlad.

Dic Jones, 'Cefn Gwlad'

Wrth feddwl am ein gwreiddiau fel pobl, byddwn fel arfer yn meddwl am ein hardal enedigol lle y cawsom ein magu neu'r lle sy'n teimlo'n fwyaf cartrefol i ni. Ond yng nghyddestun yoga, mae yna fath arall o wreiddio. Gall amrywio o ran ystyr gan ddibynnu ar brofiad personol pob unigolyn, ond i mi, mae gwreiddio'n golygu dau beth. Yn gyntaf, y teimlad o fod yn hollol bresennol yn y foment a chartrefol yn fy nghorff, fel petawn i wedi cyrraedd adref. Yn ail, y teimlad o gyswllt dwfn rhyngof fi, y ddaear o dan fy nhraed a'r byd ehangach yr ydyn ni oll yn rhan ohono.

Mae bywydau'r mwyafrif ohonom yn rhai prysur dros ben. Hyd yn oed os nad ydyn ni'n gorfforol brysur, yna mae'n meddyliau ni'n brysur: atgofion o'r gorffennol, rhestrau o bethau i'w cyflawni yn y dyfodol, difaru, dyheu … mae'r meddwl fel mwnci yn neidio o un gangen i'r llall yn ddi-baid. Gall hynny ein hamddifadu o drysorau'r foment bresennol yr ydyn ni, mewn gwirionedd, yn byw ynddi. At hynny, mae digwyddiadau cyfredol yn ein byd – rhai sydd y tu hwnt i'n rheolaeth ni fel unigolion – yn gallu achosi islif o bryder a straen. Maen nhw'n bethau sydd i'w teimlo'n fyw iawn yn ein cymdeithas o ddydd i ddydd, a gall hyn beri'r teimlad ein bod ni'n cael ein cludo o un argyfwng i'r llall, heb y cyfle i gael ein gwynt atom.

I ddechrau lleddfu'r teimlad yma mae 'gwreiddio' yn ddull o ddod â ni yn ôl i'r foment bresennol – o ganoli ac o droi'n sylw yn ymwybodol oddi wrth lif di-baid y meddwl, a'i osod, yn ofalgar, ar y cyswllt sy'n bodoli rhwng ein corff a'r ddaear. Trwy wneud hynny, down hefyd i ddeall, ac i werthfawrogi, y cyswllt dwfn, cynhenid, sydd rhyngom ni fel unigolion a'r byd mawr y tu hwnt i ni.

Mae'r berthynas hon rhyngom ni a'r byd yn un synhwyrus, ac yn un y mae pobl yn ei chrefu hefyd. Diddorol yw'r ymchwil wyddonol sy'n dangos bod ein hymennydd yn addasu pan fyddwn ni allan yn yr awyr agored ac yn teimlo'n un â byd natur (Williams, 2017). Wrth fesur tonnau ymenyddol y tu hwnt i'r labordy gan ddefnyddio peiriannau bach symudol, gall gwyddonwyr weld sut mae'r ymennydd yn ymateb yn wahanol wrth roi unigolion mewn gwahanol leoliadau. Pan fydd pobl yng nghanol natur, mae'r dystiolaeth yn dangos bod tonnau *alpha* yr ymennydd yn cryfhau, gan ddynodi stad o ymwybyddiaeth dawel ond effro, a theimlad o ymlacio'n llwyr.

Hen draddodiad sy'n tarddu o Siapan ac sydd bellach yn cael ei werthu fel therapi ledled y byd yw *shinrin-yoku*, sef cael bath mewn coedwig. Nid bath go iawn (er, dwi'n licio'r syniad yna!) ond yn hytrach y syniad o drochi ein synhwyrau yng nghanol gwyrddni'r coed. Mae nofio mewn dŵr naturiol yn yr awyr agored hefyd yn rhywbeth sy'n boblogaidd iawn erbyn hyn, ac yn cael ei gyfri'n llesol iawn i'r corff a'r meddwl.

Os nad ydi nofio mewn dŵr oer yn apelio ac os nad oes coedwig gerllaw, beth am geisio dod o hyd i ddarn bychan o dir i sefyll arno? Fel teulu, rydyn ni'n hoff iawn o gerdded i ben Mynydd Llangyndeyrn. O'r copa, mae yna wledd banoramig o dde-orllewin Cymru i'w gweld – o Fynyddoedd y Preseli yn sir Benfro i Benrhyn Gŵyr ac yna i fyny at y Mynydd Du uwchben Brynaman a Dyffryn Tywi. O dan ein traed mae hen hanes y mynydd ei hun i'w deimlo, gydag olion beddrodau hynafol yn tywys y dychymyg ar daith drwy'r gorffennol. Wrth oedi ar y bryn dros baned, gallaf deimlo fy synhwyrau'n agor a chael eu trwytho'n sensitif yn arlliwiau cynnil byd natur o 'nghwmpas. I ddechrau, mae'r clustiau'n tiwnio i gân yr adar, dawns y gwynt neu synau'r pentrefi yn y pellter. Wrth wrando'n astud, mae'n bosib clywed y synau'n amrywio o aderyn i aderyn, o awel i awel, o bentref i bentref. O ehangu'r clyw ymhellach, mae rhywun yn dod i werthfawrogi'r tawelwch sydd wastad yno rhwng rhythmau natur. Wrth ymgolli yn yr ennyd dawel hon, teimlaf fod gwead i hwnnw hefyd a chaf f'atgoffa eto mai dyma'r we gywrain sy'n ein dal ni i gyd ynghyd. Rhwng y synau, a thu hwnt i'r holl amrywiaeth, rydyn ni yn un, a down i adnabod hynny yn y tawelwch.

Mae'n hawdd iawn anghofio ein bod yn rhan o we ehangach, yn enwedig wrth i ni fyw ein bywydau fwyfwy drwy gyfryngau digidol. Rydyn ni i gyd yn rhan o fyd natur ac mae gweithredoedd pob un ohonon ni'n cael rhyw effaith ar y bobl a'r byd naturiol sydd o'n cwmpas. Wrth wreiddio, cawn ein hatgoffa o hyn mewn ffordd gorfforol, uniongyrchol, a down i werthfawrogi sut y gallwn ni, o fewn fframwaith ein bywydau unigol, gael effaith gadarnhaol ar y byd o'n cwmpas.

Gwreiddio

Elinor Gwynn

Pan fydd dyddiau weithiau'n dwrw chwil,
yn clepian fel cynfasau'n chwythu yn y gwynt,
a myrdd o feddyliau'n strempio'n ddig
ac yn tasgu a heidio'n un helynt ...

Aros.

Anadla'r eiliadau.
A theimla'r byd o funudau bach
yn wead o gyffyrddiadau.

Clyw sŵn y llanw'n cario cefnforoedd
i sibrwd eu hanes o gylch ein haberoedd,
a thaenu sidan dros faeau i'w gloywi
yn ddyddiol, yn ddefod, heb i ni sylwi.

Ac yng nglas y wawr ar fore llonydd,
â'r dydd yn ystwyrian uwchben yr holl froydd –
gwêl, wrth i gysgod yr hwyrnos gilio,
orwelion newydd yn dechrau goleuo.

Ym mlas yr heli ar fin gwefusau
mae sŵn y môr, sŵn haf ar dafodau.
Sŵn miri a hwyl a sŵn mil o ddagrau
yn disgyn fel manlaw ar draeth ein bywydau.

Ar noson fwyn, pan fydd sgwrs yn cario –
y lleisiau yn hedfan a'r geiriau'n crwydro –
teimla wres y chwerthiniad sy'n cyrraedd ar awel
yn lapio'r diwrnod yn gynnes, dawel.

Yn sawr y pridd pan fydd Awst ar gerdded
mae anadl oer yr hydref i'w glywed,
yn ernes o'r cyfoeth a ddaw cyn y gaeaf
i'w rannu'n hael o fwrdd y cynhaeaf.

Yn nhro y tymhorau, yr hau a'r aredig,
wrth godi llaw, ac mewn gwên garedig,
yng ngwythïen y graig, ac ym mhwyth pob brethyn
daw rhywun i nabod pa beth yw perthyn.

Ymarfer

cadernid dwy droed – Tadasana, 'Ystum y Mynydd'

Wrth ymarfer yoga, un o'r pethau cyntaf y byddwn yn ei ddysgu yw *Tadasana* neu 'Ystum y Mynydd'. Mae'r ystum yma'n ein dysgu sut i sefyll yn gadarn ar ddwy droed, gan ddosbarthu pwysau'r corff yn gytbwys. Os nad yw sefyll yn opsiwn, mae modd gwneud yr ymarfer yma wrth eistedd mewn cadair.

1. Dewisa lecyn braf y tu allan – unrhyw le sy'n teimlo'n ddiogel ac yn gyfforddus.

2. Tyrd yn ymwybodol o dy draed ar y llawr gan sylwi sut yr wyt ti'n dal pwysau'r corff wrth sefyll. Oes mwy o bwysau ar y droed dde, ynteu'r droed chwith? Wyt ti'n pwyso mwy tuag at flaen y traed, neu'r sodlau? Addasa dy ystum er

mwyn dod â'r corff i stad o gydbwysedd, lle mae dy bwysau wedi ei rannu'n gytbwys dros y ddwy droed. Ceisia ymlacio bysedd dy draed. Efallai y bydd hyn yn teimlo'n rhyfedd i ddechrau!

3. Tyfa dy wreiddiau – yn union fel gwreiddiau coeden, dychmyga fod gwreiddiau yn tyfu i lawr o waelod dy draed i grombil y ddaear oddi tanat. Rho funud neu ddau i ddod i arfer â theimlo hyn. Yna, wrth anadlu i mewn, dychmyga dy fod yn derbyn egni, fel maeth trwy dy wreiddiau, a'r egni hwnnw'n teithio i fyny drwy'r corff. Wrth anadlu allan, teimla daith yr egni yma'n ôl i lawr drwy'r corff, a thrwy dy wreiddiau, gan dy angori'n fwy cadarn fyth i'r ddaear oddi tanat.

4. Synhwyra sut mae'r corff yn bodoli mewn perthynas agos â'r gofod o dy gwmpas – y traed yn gwreiddio i'r ddaear, y pen yn ymestyn yn osgeiddig i'r awyr. Meddala dy olwg gan lonyddu'r llygaid. Ehanga dy glyw drwy wrando'n astud ar y synau a'r tawelwch o dy gwmpas. Dyma *samasthiti*, y safiad cytbwys, pan fo'r corff mewn stad o ymwybyddiaeth gytbwys, cyson a llonydd. Gwna hyn am ychydig funudau i ddechrau, gan ymestyn yr amser fel rwyt ti'n ei ddymuno.

Er mai yn yr awyr agored y daw'r budd cryfaf o'r ymarfer hwn, mae gwreiddio yn dechneg y mae modd ei throsglwyddo i unrhyw leoliad ac unrhyw amser. Rho gynnig arni a gweld sut mae dy brofiad yn amrywio.

Caredigrwydd

Daw dydd y bydd mawr y rhai bychain,
Daw dydd ni bydd mwy y rhai mawr,
Daw'r bore ni wêl ond brawdoliaeth
Yn casglu teuluoedd y llawr.
O ogofâu'r nos y cerddasom
I'r gwynt am a gerddai ein gwaed;
Tosturi, O sêr, uwch ein pennau,
Amynedd, O bridd, dan ein traed.

Waldo Williams, 'Plentyn y Ddaear'

Mae'r geiriau 'bydd yn garedig' yn rhai cyfarwydd iawn i ni yn y blynyddoedd diwethaf. Mewn byd lle mae agweddau negyddol yn ein hamgylchynu'n ddyddiol, boed hynny yn y cyfryngau, yn ein gwleidyddiaeth, mewn rhagfarn a hiliaeth tuag at bobl sy'n wahanol i ni, neu yn ein cymunedau ni'n hunain, mae hi'n bwysicach nag erioed i hyrwyddo a lledaenu ein caredigrwydd. Mae fy mab, Erwan (sy'n bump oed), yn hoff iawn o chwarae archarwyr a chyflwynais y syniad o garedigrwydd iddo fel math arbennig o archbŵer! Ac er mai dweud hynny'n ysgafn wnes i i ddechrau, o feddwl mwy am y peth dwi wir yn credu bod caredigrwydd yn archbŵer grymus iawn!

Dydi caredigrwydd ddim yn dod yn hawdd bob amser. Mae bod yn garedig tuag at rai pobl yn ddigon naturiol, ond mae gan bawb unigolion yn eu bywydau nad yw dangos caredigrwydd tuag atynt yn dod mor hawdd â hynny. Yn aml iawn, yr unigolyn anoddaf i ni ymddwyn yn garedig tuag ato ydi ni ein hunain. Mae ymarfer yoga yn cynnig gofod a chyfle i ni ymarfer caredigrwydd, yn gyntaf tuag atom ni ein hunain, ac o wneud hynny, bydd pawb o'n cwmpas yn elwa.

Yn hyn o beth, dyma gyflwyno'r syniad o *ahimsa*, sy'n rhan o athroniaeth yoga a'r crefyddau Bwdïaeth, Hindŵaeth a Jainiaeth. Y cyfieithiad mwyaf cyffredin o *ahimsa* yw 'byw yn ddi-drais' – sef byw ein bywyd mewn ffordd garedig gan achosi dim niwed i bobl eraill, i'r byd naturiol o'n cwmpas ac i ni ein hunain. Mae *ahimsa* hefyd yn golygu'r weithred o herio trais ac anghyfiawnder yn y byd, ac, yn bwysicach fyth, o beidio â'i oddef pan fydd hynny'n digwydd. Os wyt ti'n gyfarwydd â hanes Gandhi, *ahimsa* oedd sylfaen athronyddol ei ddull di-drais o weithredu, sef *satyagraha* ('grym gwirionedd'), a ysbrydolodd ymgyrchu di-drais ledled y byd, gan gynnwys yma yng Nghymru.

Mae ymarfer caredigrwydd hefyd o fudd i'n hiechyd a'n lles personol. Disgrifiodd gwyddonydd o'r enw Dr David Hamilton garedigrwydd fel y gwrthwyneb corfforol, a'r gwrthgyffur, i straen. Yn ôl Hamilton, mae bod yn garedig, yn syml, yn ein gwneud ni'n hapusach (Hamilton, 2017). Wrth ymddwyn yn garedig, rydym yn profi ymdeimlad o gynhesrwydd emosiynol sy'n achosi i'r corff ryddhau'r hormon ocsitosin gan greu budd i'n calonnau, rhoi hwb i'n system imiwnedd, a hyd yn oed arafu'r broses heneiddio. Felly, archbŵer go iawn! Ond mae angen ei ymarfer. Fel cyhyr, mae ein grym caredigrwydd yn cryfhau o gael ei ymarfer, a thros amser mae modd i ni ailweirio ein hymennydd i ni ymddwyn yn fwy dymunol tuag at eraill.

Yn ogystal â'r ymarfer sydd ar ddiwedd y bennod hon, gallwn oll ymarfer caredigrwydd o fewn ein byd bach ein hunain. Mae ymchwil wedi profi bod caredigrwydd yn hynod o heintus ac y gall un weithred garedig greu tonnau o garedigrwydd a all gyrraedd dwsinau o bobl eraill (Zaki, 2019). Felly fe ddechreuwn yn agos gan obeithio y bydd grym y don fechan yr ydym yn ei chreu yn ymledu ymhell.

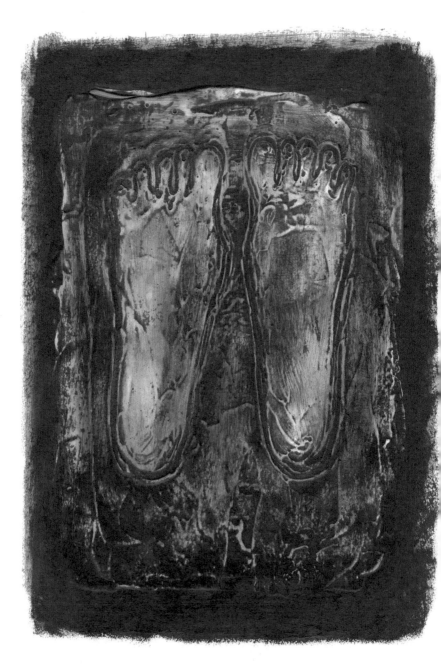

Caredigrwydd

Casia Wiliam

Pan nad oes dim byd yn dy boced,
dim lledr dan wadnau dy draed,
pan nad wyt ti'n ddim ond esgyrn a chnawd
a churiad llanw dy waed;

Pan nad yw'r atebion yn amlwg,
pan fo'th fflachlamp ar goll yn y nos,
safa yn stond yn y t'wyllwch am sbel,
yna coda dy freichiau, a dos.

Dos i wisgo dy glogyn arbennig,
rho'r mwgwd dros dy lygaid mawr, glas,
ac yn araf fe deimli'r cynhesrwydd
yn torri fel lledrith trwy'r ias.

Gad i'r pŵer oglais dy fysedd,
gad i'r gwreichion losgi'n dy gân,
gad i'r grym hwn dy arwain un dydd ar y tro,
nes daw'r Mawr i'th holl ddyddiau mân.

Ac os byddi di eto'n ansicr
a dim golwg o arwr yn dod,
rho dy glogyn a'th fwgwd a fflachia dy hud
nes bod aur yn rhuddin dy fod.

Ymarfer

myfyrdod: caredigrwydd cariadus

Un o fyfyrdodau Bwdïaeth yw caredigrwydd cariadus.
Enw gwreiddiol y myfyrdod yn yr iaith Pali yw *metta bhavana*
ac mae'n canolbwyntio ar deimlad yr ydym yn ei deimlo a'i
feithrin yn ein calonnau. Mae *metta* yn golygu 'cariad' – nid
cariad rhamantus ond cyfeillgarwch neu garedigrwydd – ac
mae hynny'n egluro enw'r myfyrdod, sef 'caredigrwydd cariadus'
(*loving-kindness* yn Saesneg). Ystyr *bhavana* yw 'datblygu' neu
'dyfu'. Wrth i ni ymarfer y myfyrdod yma'n rheolaidd, fe anelwn
at ddatblygu grym caredigrwydd ynom ein hunain. Mae sawl
astudiaeth wedi ei chynnal ar y myfyrdod penodol hwn, gan
gasglu y gall gryfhau emosiynau positif yn ein bywydau bob
dydd (Zeng ac eraill, 2015).

1. Mewn safle eistedd neu orwedd cyfforddus, cychwynnwn
   drwy ganolbwyntio'r meddwl ar deimlad o gariad a

charedigrwydd tuag at bobl agos atom sy'n hawdd
i ni eu caru, yn deulu a ffrindiau da.

2. Yna, byddwn yn ymestyn ein rhwyd o garedigrwydd
yn ehangach ac yn canolbwyntio ar deimlad o gariad a
charedigrwydd tuag at bobl nad oes gennym berthynas
gyda nhw a'n teimladau tuag atynt felly'n niwtral, e.e.
rhywun y byddwn yn ei weld ar y stryd o dro i dro.

3. Y cam nesaf, ac anoddaf, yw trosglwyddo'r un teimladau
o gariad a charedigrwydd at bobl nad ydym yn eu hoffi.

Un ffordd dda o gryfhau'r ymarfer wrth ganolbwyntio'r
meddwl ar y gwahanol bobl yw drwy ddefnyddio geiriau. Mae
brawddegau fel 'Gobeithio y byddi di'n ddiogel', 'Gobeithio y
byddi di'n hapus' a 'Gobeithio y cei di fyw mewn heddwch'
yn cyfleu hynny, ond hefyd unrhyw frawddegau sy'n teimlo'n
iawn i ti. Mae'n ymarfer dwi'n hoffi ei wneud ar ddiwedd y
dydd gyda'r plant gan eu hannog i ddewis eu geiriau neu eu
delweddau eu hunain i gyd-fynd â'r myfyrdod. Cofia hefyd dy
gynnwys di dy hun ar un o'r camau gan fod sefydlu perthynas
garedig â ni'n hunain yn gosod y sylfaen ar gyfer y ffordd y
byddwn ni'n trin eraill.

Gydag ymarfer cyson fe ddown i ledaenu ein rhwyd o
gariad a charedigrwydd dros bellter mawr hyd nes, yn y pen
draw, y gallwn gynnwys pawb a phopeth sy'n rhannu'r blaned
yma gyda ni. A dychmyga'r newidiadau cadarnhaol a allai
ddigwydd yn ein byd pe bai mwy ohonom yn dysgu sut
i wneud hyn! Bydd yn garedig a lledaena'r caredigrwydd!

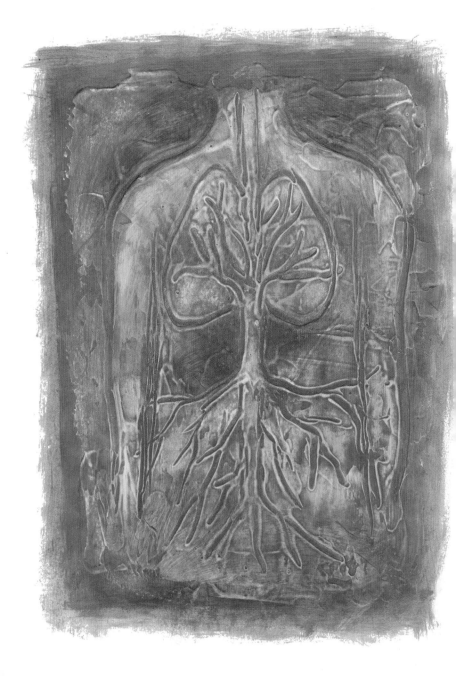

Anadlu

Pan mae'r anadl yn crwydro,
mae'r meddwl yn ansefydlog.
Ond pan dawelir yr anadl,
tawelir y meddwl hefyd ...

Svātmārāma, 'Hatha Yoga Pradipika'

Mae pawb yn gwybod bod anadlu yn hanfodol i'n bodolaeth. Efallai y gallen ni fyw am ryw dair wythnos heb fwyd, rhyw dridiau heb ddŵr, ond dim mwy nag ychydig funudau heb anadlu. Ond y tu hwnt i'r swyddogaeth hanfodol o'n cadw ni'n fyw, mae'r anadl hefyd yn allwedd i fyd mwy – y byd mewnol hwnnw sy'n gartref i haenau dyfnach ein bodolaeth. Os treuliwn amser i ddod i adnabod hynt a thrywydd ein hanadl, down i ddeall mai dyma'r edefyn sy'n plethu'r corff, y meddwl a'r enaid ynghyd.

O bersbectif yoga, ein hanadl yw'r offeryn mwyaf pwerus sydd gennym. Dywediad enwog sydd yn yr *Hatha Yoga Pradipika*, llyfr o'r bymthegfed ganrif ac a ddyfynnir ar gychwyn y bennod hon, yw: 'Pan mae'r anadl yn crwydro, mae'r meddwl yn ansefydlog. Ond pan dawelir yr anadl, tawelir y meddwl hefyd,' gan gasglu, '... felly, dylem ddysgu sut i reoli'r anadl'.

Darganfod a deall, y gwersi hyn yw rhai o'r rhai pwysicaf a ddysgir trwy yoga.

Dwi'n hoffi meddwl am yr anadl fel *remote control*. Pan fydd emosiynau cryf yn llifo, sy'n hollol naturiol ac arferol mewn bywyd, mae cymryd amser i arafu a thawelu'r anadl ar yr adegau hynny yn helpu i droi'r sain i lawr ryw fymryn ar yr emosiwn. Nid ei anwybyddu o bell ffordd, ond yn hytrach ei wneud yn llai llethol, a thrwy hynny alluogi ein persbectif i fod yn gliriach.

I mi, mae hyn yn beth hynod o bwerus gan ei fod yn creu gofod rhwng y profiad o deimlo emosiwn a'r ffordd y byddwn yn ymateb i'r teimlad hwnnw. Os cymerwn ennyd i dawelu'r anadl yn gyntaf, yna byddwn yn llawer llai tebygol o ymateb yn fyrbwyll ac annoeth i sefyllfaoedd anodd y byddwn yn eu hwynebu.

Mae'r gofod neu'r ysbaid o amser sydd rhwng digwyddiad sy'n ein cynhyrfu a'r modd yr ydym yn ymateb iddo yn anhygoel o bwerus. Wrth i ni ddod yn fwy ymwybodol o'r gofod hwn, down i ddysgu ein bod yn gallu oedi, anadlu ac yna *dewis* y ffordd yr ydym am ymateb i heriau bywyd. Wrth gwrs, mewn rhai sefyllfaoedd argyfyngus lle mae'n rhaid gwneud penderfyniadau anodd ar amrantiad, dydi'r gofod yma ddim ar gael i ni. Ond prin iawn yw'r sefyllfaoedd hynny, diolch byth, ac yn amlach na pheidio mae'r gofod yno, os dewiswn ei weld a'i ddefnyddio.

Pan dwi'n meddwl am botensial hynny i'r byd, mae o wir yn fy nghyffroi. Sawl ffrae, camddealltwriaeth neu hyd yn oed rhyfel fyddai wedi gallu cael eu hosgoi o ddefnyddio'r gofod bychan hwn i'w lawn botensial? Ond, er mwyn i ni allu tawelu'r anadl pan fyddwn yn wynebu sefyllfaoedd anodd mewn bywyd, mae angen i ni'n gyntaf ddatblygu perthynas agos iawn gyda'n hanadl a dysgu sut deimlad a sut brofiad yw anadlu'n naturiol ac yn rhydd. Mae hyn yn swnio'n syml, ond i nifer fawr o bobl, y gwirionedd yw fod y ffordd yr ydym yn byw ein bywydau, a'r modd yr ydym yn dal ein cyrff, yn golygu nad ydi'r anadl yn gallu llifo'n rhwydd. Y cam cyntaf, felly, yw ailddarganfod ein hanadl bodlon, naturiol. Dwi'n fam i ddau o blant ac yn cofio'u gwylio'n fabanod yn cysgu yn eu cot gyda'u breichiau uwch eu pennau a'u boliau'n chwyddo a gostwng i rythm eu hanadl – fel llanw a thrai'r môr. Ac oes, mae yna gysur mawr i'w ganfod yn y broses o gysylltu â llanw a thrai ein hanadl ein hunain.

Mae ymarfer corfforol yoga wedi cael ei ddisgrifio fel dawns ar rythm yr anadl. Fel ymarferwyr, byddwn yn treulio blynyddoedd yn mireinio'r ddawns hon, yn gyntaf ar y mat yoga, ac yna y tu hwnt i'r mat, hyd nes y daw ein holl fywyd yn ddawns yr anadl yn y pen draw. Dwi'n cofio athro yoga'n dweud wrtha i unwaith am syrthio'n ddwfn mewn cariad gyda fy anadl. Chwerthin wnes i ar y pryd, ond erbyn heddiw byddaf yn awgrymu'r un peth i eraill. Mae'n gyngor da! Os treuliwn amser yn dod i adnabod ein hanadl, gan ddysgu sut i'w addasu'n sensitif a deallus yn ôl yr angen, yna bydd o yno i ni, yn gydymaith oes i'n cludo drwy ba bynnag brofiadau a gofidiau a ddaw i'n rhan.

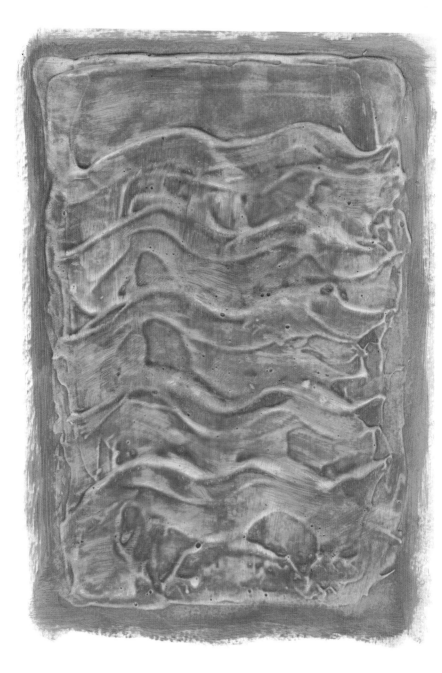

Ennyd

Lleuwen Steffan

Ton ar ôl ton.
Yr unig rodd
o bwys
yw'r anadl hon.
Tystiolaeth
bodolaeth
Mam.
A mam ei mam.
A thad tad 'nhad.
Ynof
mae'r ddynoliaeth
yn dragwyddol
a'i rhodd i mi
mewn ennyd
yw gwyrth
yr anadl hon.

Ymarfer

arafu'r anadl – 6 anadl y funud

Wrth gydnabod bod rhythm yr anadl yn dylanwadu ar rythm y meddwl, mae'n gwneud synnwyr fod arafu'r anadl yn arafu'r meddwl. Yn ystod llif ein bywydau dyddiol mae'r mwyafrif ohonom yn anadlu ar raddfa iach o oddeutu 12 i 16 anadl y funud. Ond, o fewn fframwaith ein hymarfer yoga, byddwn yn arafu'r anadl yn ymwybodol er mwyn tawelu'r meddwl ac ymlacio'r corff.

Erbyn hyn, mae gwyddonwyr wedi cadarnhau'r hyn y mae ymarferwyr yoga wedi sylwi arno ers canrifoedd, sef bod arafu'r anadl i oddeutu 6 anadl y funud yn gallu bod yn hynod o adferol, gan sbarduno'r corff a'r meddwl i ymlacio (Robson, 2020). Er nad yw gwyddonwyr wedi deall yn llwyr eto sut mae anadlu araf yn cael y fath effaith gadarnhaol ar y corff dynol, maent yn cytuno bod hyn yn gallu cael effaith hynod o bositif ar lefelau pwysedd y gwaed, ar gyflyrau megis gorbryder ac iselder, a hefyd yn helpu patrymau cwsg. Yn ogystal, maent wedi nodi cyswllt rhwng ymarfer arafu'r anadl a gallu pobl i ddelio â phoenau sy'n deillio o gyflyrau cronig fel cryd cymalau.

Mae'n bwysig nodi yma fod pob corff yn unigryw ac yn ymateb yn wahanol i wahanol ymarferion. Mae hi'n bwysig, felly, dy fod yn addasu'r ymarferion i ymateb i dy anghenion personol dy hun. Gall athro cymwysedig dy helpu i wneud hyn.

1. Os wyt ti'n dymuno arbrofi gydag arafu dy anadl, dwi'n awgrymu i ti wneud hynny wrth orwedd i lawr i ddechrau, gan fod y corff yn gallu ymlacio'n haws wrth orwedd yn hytrach nag eistedd.

2. Ceisia roi deng munud go dda i ti dy hun i ymarfer, gan dreulio'r munud neu ddau cyntaf yn sylwi ar batrwm naturiol dy anadlu, cyn mynd ati i'w newid.

3. Yna, yn araf bach, arafa lif yr anadl gan gyfri tua phum eiliad i mewn a phum eiliad allan. Bydd angen gweithio i fyny at y rhythm yma dros gyfnod o amser, ac efallai y bydd cyfri i 3 neu 4 yn fwy addas i ddechrau. Os oes unrhyw straen o gwbl i'w deimlo yn yr anadl, yna bydd yr ymarfer yn wrthgynhyrchiol ac yn creu tensiwn yn hytrach na dy helpu i ymlacio!

Ar ddiwedd pob ymarfer, cymer amser i arsylwi ar effeithiau'r sesiwn ar dy gorff a dy feddwl, gan weld sut mae hynny'n newid o ddydd i ddydd.

Egni

A ddeui o ddyfnder yr eigion,
neu ddwndwr yr ewyn gwyn:
o byllau y crancod a'r perlys,
neu hewian gwylanod syn?
A ddeui, o'r tonnau, yn feistr ffraeth,
i arwain fy mysedd hyd dywod y traeth?

Sian Owen, 'Awen'

Mae yna eiriau mewn gwahanol ddiwylliannau ac ieithoedd ledled y byd sy'n cyfeirio at ryw fath o rym anweledig sy'n rhedeg trwy bopeth byw – *qi* (neu *chi*) mewn Tsieineeg, *ki* mewn Siapanaeg, a *prana* yw un o'r geiriau a ddefnyddir am y grym hwn ym maes yoga. Yn y Gymraeg mae gennym air arbennig am egni creadigol, sef 'awen'. Mae'n air Celtaidd am 'ysbrydoliaeth (farddol)' sydd yn bodoli yn y Llydaweg a'r Gernyweg hefyd. Pan fydd yr awen yn taro a'i hegni'n llifo, does dim pall ar y creu a ddaw yn ei sgil. Dwi ddim yn fardd, ond dwi ddim yn credu bod angen bod yn fardd i deimlo'r awen – os ydym yn agored iddi, gall ymweld â phob un ohonom, a gallwn ni i gyd ddysgu sut i'w theimlo a'i chyfeirio.

Ond nid pawb sy'n argyhoeddedig fod y grym anweledig hwn yn bodoli o gwbl. Wedi'r cwbl, os na allwn agor y corff a chanfod rhywbeth gweladwy fel esgyrn ac organau, yna sut y gallwn ni brofi bodolaeth yr egni yma? Yn syml, hyd yma, allwn ni ddim. Dim ond ei deimlo. I bobl sy'n hoffi atebion cadarn a gwyddonol i gwestiynau, mae hyd yn oed ystyried derbyn hyn weithiau'n gam yn rhy bell, a dwi'n deall hynny.

Mae'n ddigon posib bod eraill wedi dod ar draws y syniad o egni anweledig yn llifo drwy'r corff drwy gael triniaeth aciwbigo (*acupuncture*). Dyma sydd wrth wraidd y driniaeth amgen hon sydd â'i gwreiddiau'n ddwfn mewn meddyginiaeth hynafol Tsieineaidd, sef bod egni anweledig (*qi*) yn llifo drwy sianeli o'r enw *meridians*, o fewn y corff. Mae aciwbigo yn seiliedig ar y syniad fod iechyd y corff yn ddibynnol ar lif clir a chyson o egni drwy'r sianeli hyn, a phwrpas y driniaeth yw clirio unrhyw rwystrau yn y sianeli a chydbwyso llif yr egni.

Er bod gwahaniaethau sylweddol rhwng syniadaeth Tsieineaidd a syniadaeth yoga yn eu damcaniaethau am sut mae'r corff yn gweithio, mae yna elfennau tebyg iawn hefyd. Er enghraifft, mae'r syniad o sianeli yn cludo egni (*prana*) drwy'r corff i'w gael o fewn yoga yn ogystal, ond gelwir y sianeli hyn yn *nadis* a phwrpas llawer o'r technegau corfforol a'r technegau anadlu o fewn yoga yw clirio'r *nadis* er mwyn galluogi'r egni i lifo'n rhydd, gan ddylanwadu'n gadarnhaol ar gyflwr ein hiechyd corfforol a meddyliol ac arwain at ddatblygiad ysbrydol.

At hynny, mae yna awgrymiadau bod yr egni sy'n llifo drwy'n cyrff unigol ni yn rhedeg hefyd drwy bopeth yn y byd y tu hwnt i ni, gan ein huno ynghyd yn ei lif.

Yn nyddiau cynnar fy ymarfer, pan fyddai athro yn sôn am deimlo llif y *prana*, doedd gen i ddim syniad sut i fynd ati i wneud hynny. Gallwn deimlo fy nghroen, fy nghyhyrau'n tynhau ac ymestyn, gallwn deimlo a chlywed fy anadl yn mynd a dod, ond dim byd arall. Yna, dros amser, sylwais fy mod yn dod yn ymwybodol o bethau eraill hefyd – synwyriadau a theimladau mwy cynnil y tu mewn i'r corff. Gan amlaf, byddai hyn yn digwydd wrth i mi ymlacio ar ddiwedd yr ymarfer. Wrth i'r corff a'r meddwl lonyddu a meddalu, byddwn yn dod yn ymwybodol o guriad fy nghalon yn arafu a'm hanadl yn tawelu hyd nes ei fod prin i'w ddeimlo yn fwy nag edefyn o sidan. Ac yna, tu hwnt i hynny, rhywbeth arall – curiad neu ddirgryniad tyner, fel cerrynt tawel a chyson o drydan, yn grwndi'n gysurus y tu hwnt i bopeth arall. O'r diwedd, deallais fod llonyddu, ymlacio ac ymdawelu yn rhan bwysig o allu teimlo'r llif hwn yn rhedeg drwy fy nghorff i.

Wrth i mi ddod yn fwy cyfarwydd â'r teimlad, sylweddolais fod gweithio gyda'r anadl yn gallu dylanwadu ar lif yr egni. Pwrpas y gangen o yoga a elwir yn *pranayama* yw defnyddio llif ein hanadl i gyfeirio *prana* yn bwrpasol trwy sianeli'r corff. Drwy dechnegau amrywiol sy'n ymestyn, dal, arafu neu gryfhau'r anadl, mae modd dysgu sut i gydbwyso'r grym mewnol yma

– ei godi pan fydd yn rhy isel a'i ostwng pan fydd wedi dringo'n rhy uchel. Yn fy ymarfer fy hun, pan fydda i'n canfod y tir canol lle mae'r egni'n teimlo'n gytbwys, mae fel petai'r tirlun y tu mewn i mi yn ehangu ac yn tawelu, gan greu ymdeimlad cartrefol, clyd a chysurus o fewn fy nghorff.

Wrth gwrs, dim ond rhannu fy mhrofiad personol y gallaf ei wneud. Mae profiadau personol yn amrywio. Er enghraifft, mae rhai'n cysylltu eu profiad o *prana* gyda golau a lliwiau, neu newidiadau mewn tymheredd yn y corff, a gan nad oes modd mesur ein profiad trwy ddulliau gwyddonol arferol, yna mae'n rhaid i ni fod yn barod i agor ein meddyliau i brofiadau y tu hwnt i'r hyn y gallwn ei brofi'n weledol. Dydi gwneud hynny ddim at ddant pawb, ac mae hynny'n iawn. I mi'n bersonol, mae cysur yn y ffaith nad ydi'r hil ddynol yn gwybod nac yn deall popeth am y corff dynol eto, nac am y ffordd y mae'r byd yn gweithio. Mae cwestiynau mawr o hyd ar ôl i'w hateb, ac mae hynny yn fy nghyffroi.

Egni

Elinor Wyn Reynolds

Cyn y dim
bu rhywbeth –
rwy'n sicr o hynny –
rhyw fath o egni,
y peth sy'n gyrru,
yr anweledig anniddig,
yr hwn sy'n ymddangos ar amrant,
mor solet ag anwedd ar wydr
neu lwybr traed ar draeth
cyn llusg y llanw.

Ond ymlonydda,
rho dy law ar dy fynwes a theimla'r gwres,
cyfra bob curiad,
y rhai pitw bychan sy'n mesur einioes gyfan,
profa'r trydan
fel clec sydyn ar dy gledr,
teimla'r grym yn gwreichioni.

Ac yn llif yr holl afonydd gwaed
sy'n ffrydio drwyddot
fe glywi'r bywyd
yn dadwrdd yn dy glustiau,
dy fyddaru i bethau'r byd weithiau,
moelyd pob synnwyr
a chwalu pethau call
yn siwrwd.
A rhywle yn y dwfn,
mae'r rhywbeth byw yn mynnu sibrwd.

Anadla.

Ymarfer

dod o hyd i'r egni

Fel y soniais eisoes, cymerodd amser hir i mi fod yn agored i'r syniad o egni, a hyd yn oed mwy o amser i ddod i deimlo'r llif cynnil hwn drosta i fy hun. I rai mae'n digwydd ynghynt ac i eraill bydd yn cymryd mwy o amser. Rhannaf yma un syniad am sut i fynd ati i geisio chwilio am y teimlad o 'egni' yn y corff.

1. Gwna rywbeth corfforol sy'n codi curiad dy galon ac sy'n caniatáu i ti deimlo dy byls a chylchrediad y gwaed yn gryf yn y corff. Mae'r dilyniant yoga *surya namaskar*, 'Cyfarch yr Haul', yn berffaith. Neu efallai yr hoffet ti gerdded, rhedeg neu ddawnsio am rai munudau – unrhyw beth sy'n symud y corff mewn ffordd rwyt ti'n ei mwynhau.

2. Arafa'n raddol cyn dod i stop, ac yna gorwedda mewn man cyfforddus. Bydd adlais yr ymarfer i'w deimlo o hyd yn y corff. Bydd yn effro i hynny – curiad dy galon yn arafu, yr anadl yn meddalu a thawelu. Cadwa flanced gerllaw gan y bydd tymheredd y corff yn gostwng wrth i ti ddechrau ymlacio. Wrth i'r corff dawelu a llonyddu, arhosa'n effro i'r profiad mewnol – beth sydd i'w deimlo y tu mewn i ti? Tro dy synhwyrau o'r byd allanol tuag at y byd mewnol, fel crwban yn tynnu ei ben i mewn i'w gragen. Beth sydd i'w weld, i'w glywed, i'w deimlo ar y tu mewn?

Cofia nad oes atebion cywir neu anghywir i'r cwestiynau yma; mae'r broses o ddod i adnabod dy hun a dy brofiad mewnol yn well, heb farnu a heb ddisgwyliadau, yn un raddol ac amrywiol. Efallai y bydd dy brofiad yn newid o ddydd i ddydd neu efallai y bydd yn aros yn fwy cyson. Beth bynnag rwyt ti'n ei deimlo, mwynha'r profiad a bydd yn garedig ac yn amyneddgar gyda thi dy hun.

Bodlonrwydd

Ein hawydd beunydd, beunos — ydyw mwy,
ond y mae'n ddiachos;
yn f'ofnau oer, yn nwfn nos,
digon yw un ffrind agos.

Mererid Hopwood, 'Digon'

Ein hanfodlonrwydd ni sy'n gwneud i olwynion ein cymdeithas droi. O'n plentyndod, cawn ein bwydo gyda hysbysebion sy'n honni y byddem ni'n hapusach, yn fwy llwyddiannus ac yn bobl gymaint yn well pe baem yn cael y tegan diweddaraf, yn colli pwysau, yn prynu car newydd, yn symud i dŷ mwy, yn cael yr iPad drutaf, ac yn y blaen. Hanfod cyfalafiaeth yw ein cyflyru ni i fod eisiau mwy o hyd.

Ond beth sy'n digwydd pan gawn ni'r pethau yma? A ydyn ni wir yn hapusach, yn fwy llwyddiannus neu'n bobl well? Efallai y byddwn ni'n synhwyro ein bod ni, dros dro, ond pa mor hir fydd hynny'n para? Wedi i ni gael y *fix*, boed hynny trwy wrthrych, emosiwn neu berson, yn fuan wedyn bydd y pleser yn dechrau pylu, ac wrth inni frwydro i ddal ein gafael arno, canfyddwn ein hunain unwaith eto yn ôl ar y *treadmill* hedonistaidd yn awchu am fwy: y nod nesaf i'n gwneud ni'n hapusach, yn fwy llwyddiannus ac yn berson gwell. Mae'n ddiddiwedd ac yn llafurus, ond mae'n gred sydd mor gynhenid ynom ni fel mai anodd iawn yw torri'n rhydd ohoni.

Torri'n rhydd yw hanfod ymarfer yoga. Yn un o ganghennau cyntaf athroniaeth yoga glasurol Patanjali, fe'n cyflwynir i'r syniad o *santosha*. Caiff ei gyfieithu i'r Saesneg fel *contentment*, ac i'r Gymraeg fel 'bodlonrwydd'. Yma, heb os, mae'r Gymraeg yn rhagori. O edrych yn fanylach ar 'bodlon' yn *Geiriadur Prifysgol Cymru*, gwelwn bedair ffurf wahanol ar y gair: 'bodlon; boddlon; bodlawn; boddlawn'. O weld 'llawn' yn rhan o'r gair, mae'r ystyr, i mi, yn newid ac yn cryfhau.

Bod yn fodlon yw deall a theimlo ein bod ni'n llawn – yn gyflawn – yn barod, a bod chwilio am hapusrwydd yn y byd tu hwnt i ni'n hunain, boed hynny drwy sylwedd, stwff neu berson, yn gwbl ofer. O sylweddoli hyn, byddwn yn torri'r cylch dieflig o fod eisiau mwy, ac yn dysgu bodloni ar yr hyn sydd gennym yn barod. Wrth gwrs, mae ein gallu i fodloni yn ddibynnol ar gael byw mewn modd sy'n cwrdd â'n hanghenion sylfaenol, megis bwyd, dŵr, a tho uwch ein pennau. Os nad yw hynny'n bosib, yna mae gwaith i'w wneud i geisio newid y strwythurau cymdeithasol sydd yn rhwystro hynny. Ond os yw'n hanghenion sylfaenol wedi eu diogelu, gallwn weithio ar fodlonrwydd.

Dydi bod yn fodlon ddim yn golygu peidio â chael

breuddwydion a chyraeddiadau i anelu atynt mewn bywyd. Gall uchelgais fod yn beth iach sy'n ein hysgogi i godi yn y bore a gwneud rhywbeth. Ond y peryg yw y byddwn ni'n disgwyl y byddai cyflawni breuddwyd neu uchelgais yn newid y ffordd yr ydyn ni'n teimlo oddi mewn. Y gwaith mewnol yr ydyn ni'n ei wneud ein hunain wnaiff effeithio fwyaf ar hynny.

Wrth ymarfer yoga dysgwn fod y byd o'n cwmpas, ein profiadau, a'n hemosiynau yn newid yn barhaus, ond, ar y tu mewn i ni, mae llonyddwch a dedwyddwch yr 'hunan' nad yw byth yn newid. Mae amrywiol ganghennau'r ddisgyblaeth wedi eu cynllunio i'n helpu ni i ffurfio perthynas gyda'r 'hunan' yma, ac i leihau ein hymlyniad a'n dibyniaeth ar anwadalrwydd y byd allanol. Mae'r athroniaeth wedi ei seilio ar y syniad ein bod ni'n gwybod, ond wedi anghofio, pwy ydyn ni go iawn, ac mae'r gwahanol ymarferion corfforol a meddyliol yn ein helpu i lanhau drych y meddwl i'n galluogi ni i weld ein hunain, a'r byd o'n cwmpas, yn gliriach. Mae hyn yn arwain at newid radical mewn persbectif. Pan fydd y llwch yn dechrau clirio o'r drych, cawn gipolwg ar y 'ni go iawn' sydd wastad wedi bod yno, ond sydd wedi bod ynghudd o dan y llwch. A phan fyddwn ni wedi gweld hynny, allwn ni ddim ei anghofio.

Mae'n eironig, felly, fod yoga bellach yn rhan o ddiwydiant byd-eang sy'n werth biliynau o bunnoedd, tra bod y syniadaeth sydd wrth wraidd y ddisgyblaeth yn herio'r union strwythurau masnachol hynny. Er nad yw'n air sy'n swnio felly i ddechrau, gall 'bodlonrwydd' gynnig persbectif chwyldroadol; un sy'n caniatáu i ni feithrin bywyd llawn rhyfeddod, chwilfrydedd a chariad at yr hyn sydd *yn* bodoli yn hytrach na rhyw ddelfryd o'r hyn yr hoffem fod.

Taswn i ond

Llŷr Gwyn Lewis

Taswn i ond medru fforddio fan,
cawn gysgu lle mynnwn, a theithio i bob man.

Taswn i ond yn cael ffôn fymryn gwell,
cysylltwn â'm ffrindia, dim bwys pa mor bell.

Taswn i ond yn diffodd y we
a gwneud diwrnod o waith, 'sa bob dim yn ocê.

Taswn i ond yn cael mynd am dro
a dysgu'r adar ar fy ngho',

neu taswn i'n codi efo'r wawr,
mi allwn gyflawni petha mawr.

Taswn i ond heb siomi'n rhieni,
a taswn i'n hapus efo'r hyn sy gen i,

taswn i'n medru siarad yn gall,
nid pwdu a sgrolio drwy'n ffôn yn ddall,

a taswn i'n hapus â 'nhŷ, mond bod to
ac ambell i ffenest ynddo fo,

tawn i ond yn fwy heini, dwi'n deu'thach chi ...
(ond dydw i ddim, a dyna ni)

neu'n bwyta'n well ac yn yfed llai ...
Ond 'sa rwbath yn bownd o gael y bai.

Taswn i ond yn filiwnêr,
ag amser i'w brynu i syllu ar sêr,

taswn i'n medru cysgu'r nos
a bywyd yn stopio bod yn bos ...

Taswn i ond yn ddiferyn o ddŵr,
fodlonwn i wedyn? Dwi ddim mor siŵr.

Mi fydda' i, un dydd, yn llonydd yn llwyr,
yn rhyw fath ar fodlon – yn llawer rhy hwyr.

·

Ymarfer

diolchgarwch

Un ffordd syml iawn o feithrin bodlonrwydd yw trwy ymarfer diolchgarwch. Wrth feddwl am fod yn ddiolchgar, rydym yn dueddol o neidio'n syth at y pethau mawr mewn bywyd, fel bod yn ddiolchgar am iechyd neu am deulu a ffrindiau. Mae'r pethau hyn, fel arfer, yn ddigon rhwydd i deimlo'n ddiolchgar amdanynt. Ond mae yna elfen arall o ymarfer diolchgarwch sydd ddim mor amlwg â hynny, sef y gallu i sylwi ar bleserau bach, syml bywyd a bod yn ddiolchgar amdanynt, a hynny yn yr ennyd wrth iddynt ddigwydd – y presennol. Daw hyn â ni allan o ffrwd ein meddyliau, gan greu mwy o ofod i ni ddatblygu perthynas uniongyrchol, synhwyrus gyda'r byd o'n cwmpas.

Dwi'n defnyddio'r gair 'synhwyrus' i olygu defnyddio'r synhwyrau corfforol sydd gennym – teimlo, blasu, arogli, gweld, clywed – i gryfhau'n profiad a'n gwerthfawrogiad o'r fraint o fod yn fyw.

Mae ein synhwyrau, a'n profiad synhwyrus o'r byd, yn amrywio o unigolyn i unigolyn. Yn naturiol, felly, mae rhestr gwerthfawrogiad pawb yn wahanol, ac yn amrywio o ddydd i ddydd, ond dyma ambell beth sydd yn rhoi teimlad o foddhad dwfn i mi:

- y diferyn cyntaf o goffi cynnes yn anwesu fy nhafod, ei arogl yn llenwi fy ffroenau a'r gwres yn stemio fy sbectol!

- cael gorffwys fy wyneb yng ngwar fy mhlant wrth iddynt setlo i gysgu, gan deimlo meddalwch eu croen ac arogl melys siampŵ mafon yn eu gwalltiau;

- gwisgo pâr o sanau sydd wedi bod yn cynhesu ar y rheiddiadur;

- gwylio fy nghi, sy'n arafu ac yn heneiddio erbyn hyn, mwyaf sydyn yn prancio fel oen bach ar ôl wiwer yn y goedwig;

- mynd allan i'r ardd yn gynnar ar fore oer a throi fy wyneb at gynhesrwydd yr haul yn gwawrio dros y cwm;

- y munudau cyntaf mewn gwely gyda chynfasau glân.

Wrth fynd ati i wneud rhestr fel hyn, mae'r manylder yn bwysig. Defnyddia'r synhwyrau i'w llawn botensial gan wir flasu, gweld, clywed, teimlo ac arogli trysorau ein byd.

Ildio

Dduw, dyro imi dangnefedd
i dderbyn y pethau na allaf eu newid,
gwroldeb i newid y pethau a allaf,
a'r doethineb i wybod y gwahaniaeth.

*'Y Weddi Dangnefedd' ('Serenity Prayer'),
cyfieithwyd gan Wynford Ellis Owen*

Dydi'r gair 'ildio' ddim yn un ac iddo gynodiadau cadarnhaol iawn, yn enwedig i'r rhai hynny sydd wedi'u magu â'r agwedd bod rhaid gweithio'n galed a gwthio dy hun er mwyn llwyddo yn y byd mawr. Ond yn reddfol, fe ŵyr pawb nad ydi gwthio dy hun yn ddidrugaredd yn gynaliadwy o gwbl, nac yn iach i'r meddwl. Rhywbeth yn debyg o ran ystyr ydi'r gair Saesneg Americanaidd *burnout* (gair a ddefnyddir yn eang erbyn hyn). Cydbwysedd iach sydd ei angen, ac er bod hynny bellach yn rhywbeth a drafodir yn gyson, mae'r hen ystrydeb mai pobl wan sy'n ildio tra bod pobl wydn yn brwydro 'mlaen yn dal i fodoli.

Ond beth am edrych ar ildio mewn ffordd gwbl wahanol? Beth am feddwl amdano fel y gwrthbwynt naturiol ac angenrheidiol i'r weithred o wneud? Wedi'r cwbl, mae yna rai pethau y gallwn ddylanwadu arnynt yn ein bywydau, a phethau eraill na allwn eu newid. Y cryfder mwyaf, felly, yw gwybod pryd i wneud, a phryd i ildio.

I geisio cael y cydbwysedd yma, mae'n bosib edrych ar ddysgeidiaeth yoga sy'n ein hannog i feithrin y cydbwysedd rhwng *sthira* a *sukha* wrth ymarfer. Y teimlad o fod yn gadarn a sefydlog yw ystyr *sthira*, a theimlad melys o ddedwyddwch a chysur yw ystyr *sukha*. Dydi hi ddim yn hawdd o gwbl dod o hyd i'r cydbwysedd rhwng y ddau beth, a'r tueddiad yn gyffredinol yw gorwthio a gor-wneud – gyda yoga corfforol, fel gyda phopeth arall – gormod o *sthira* a dim digon o *sukha*. Byddwn yn gwthio a thynnu ein cyrff i geisio cyflawni rhyw ddelfryd o ystum sy'n bodoli yn ein meddwl yn hytrach nag addasu'r ystum i barchu realiti presennol ein corff. Os daliwn ati i wthio'r corff fel hyn, yna'n hwyr neu'n hwyrach anaf fydd y canlyniad (a dwi'n gwybod hynny o brofiad). O wneud hynny, bydd y corff yn ein gorfodi i dderbyn realiti ein ffiniau ac i 'ildio' yn gyfan gwbl.

Yn sgil hynny, wrth i ni adfer y corff a'i ailadeiladu, byddwn yn fwy ymwybodol fyth o'r llais blaenorol roedden ni'n ceisio ei dawelu drwy wthio a thynnu. Yn wir, dyma ddoethineb cynhenid y corff. Wedi hynny, a ninnau bellach mewn deialog sensitif â'r llais mewnol yma, gallwn weld ein hymarfer yn gwella ac yn aeddfedu. Rwyt ti'n dod i ddeall pryd mae'n amser i ymdrechu a phryd i feddalu a chamu'n ôl. Wedi i mi ddechrau dysgu'r wers hon ar y mat yoga, deallais ei bod hefyd yn cael effaith ar fy mhenderfyniadau yn fy mywyd ehangach. Dwi'n berffeithydd wrth natur ac mae tueddiad ynof i wthio fy hun y tu hwnt i unrhyw ffin resymol er mwyn cyflawni uchelgais. Ond, wrth aeddfedu, gwelwn weithiau nad fy nyheadau i fy hun roeddwn i'n gweithio'n galed i'w cyflawni, ond yn hytrach disgwyliadau pobl eraill ohonof. Wrth i mi sylweddoli hynny, dechreuais ddeall yn reddfol pryd a sut i ddweud 'na'. Rŵan yn ddeugain oed, dwi'n dal i ddysgu'r wers hon, ac mae'n rhaid i mi fod yn wyliadwrus iawn o'm tueddiad i fod eisiau plesio eraill a bod yn berffaith. Er hynny, teimlaf fod 'ildio' yn dod yn haws i mi erbyn hyn ac yn fy ngrymuso i ganfod stad o gydbwysedd pan fo amgylchiadau bywyd wedi mynd yn drech na mi.

Felly, dysgwn nad peth gwan o gwbl yw ildio, ond yn hytrach mynegiant doeth a naturiol o gydbwysedd angenrheidiol bywyd. Rhoi a derbyn. Llanw a thrai. Ymroi ac ymatal. *Sthira* a *sukha*.

Cydbwysedd

Hywel Griffiths

Bydd weithiau'n wynt, neu bydd yn don ar draeth
pan weli le i lunio siâp y byd,
gan droi yr egni a fu gynt yn gaeth
yn ysbryd mawr a ddaw yn gyffro i gyd.

Ond cofia wedyn fod yn dywod mân,
synhwyra pryd i fod yn ddeilen fach,
yn eiliad dawel sydd rhwng nodau'r gân,
yn cael ei chwythu gan yr awel iach.

Mae dewrder yn y naill, ac yn y llall
dangnefedd; ac ar noson lonydd, hir
mi deimli'r blaned fach 'ma'n troi'n ddi-ball
ar echel gytbwys aer a môr a thir.

Ton a thywod. Gwynt a dail. Y mae
doethineb hir y ddaear rhwng y ddau.

Ymarfer

hunanholi

Rhan bwysig o ymarfer yoga yw hunanholi a dod i adnabod y gwahanol elfennau ohonom yn well. Un ffordd o wneud hyn yw cadw dyddiadur dros gyfnod o amser sy'n myfyrio ar un elfen benodol o'n bywyd.

Dwi'n awgrymu'r cwestiynau canlynol fel man cychwyn
i fyfyrio drostynt, ond gelli di feddwl am bethau sy'n fwy
penodol a phersonol i ti:

- Sut mae'r cydbwysedd rhwng *sthira* a *sukha* yn dy fywyd?

- Wyt ti'n gallu meddwl am enghreifftiau lle'r wyt ti'n
  dueddol o or-wneud a gorwthio?

- I'r gwrthwyneb, oes yna unrhyw ran o dy fywyd nad wyt
  ti'n ymdrechu digon ynddi?

- Pa un sydd anoddaf i ti? Yr ymdrechu neu'r ildio?

Mae'r weddi sydd ar gychwyn y bennod hon yn un dwi'n ei
thrysori a'i hadrodd fel rhan o'm hymarfer dyddiol, a dwi'n
dy wahodd dithau hefyd i werthfawrogi'r gwirioneddau sydd
ynddi. Yn fwy na dim, bydd yn garedig gyda thi dy hun. Rydyn
ni i gyd yn berffaith o amherffaith a gallwn oll gofleidio hynny.

Myfyrio

Hwnt i ryw ffin nad oes mo'i diffinio
Mae dechrau'n ddarfod, a bod yn beidio.
Hen ydoedd heddiw yng nghrud ei ddyddio,
Yn ddiarwybod yn ddoe'r â heibio.
Mae'n barhaus, y mae'n brysio – yr un pryd,
Mae oesau'r byd yn yr ennyd honno.

Dic Jones, 'Eiliad'

Y camddealltwriaeth mwyaf am fyfyrio yw mai'r nod ydi gwacáu'r meddwl. Mae unrhyw un sydd wedi eistedd a cheisio gwneud hynny yn gwybod ei bod yn dasg amhosib! Yn aml iawn, fyddwn ni ddim yn sylweddoli pa mor brysur yw'r meddwl nes i ni eistedd yn llonydd a thawel. Mae gan y mwyafrif ohonom gornel yn ein cartrefi, boed yn stafell sbâr neu'n atig, lle mae'r jync i gyd yn mynd. Yn y corff, mae'r meddwl yn gweithredu fel stafell jync i'n holl ofidiau, gobeithion ac atgofion, ac mae eistedd i fyfyrio fel troi'r golau 'mlaen yn y stafell am y tro cyntaf ers amser maith – gan weld yr holl jync sydd yno. Does ryfedd, felly, nad yw'n profiadau cyntaf o fyfyrio bob amser yn rhai dymunol!

I raddau, mae'n gwbl naturiol i'r meddwl symud o'r naill peth i'r llall, ond mae yna gyfnodau hefyd pan mae'r meddwl i'w weld yn rasio allan o reolaeth, gan ddod â llu o emosiynau llethol yn ei lif. Dydi hyn ddim yn ddefnyddiol nac yn deimlad braf, chwaith. Trwy fyfyrio, dysgwn sut i ddod â llif y meddwl fwyfwy o dan ein rheolaeth ni. Wrth gwrs, wnaiff hyn ddim digwydd yn syth. Mae'r meddwl yn greadur styfnig ac mae angen dycnwch a dyfalbarhad i'w ddofi. Ond, gydag amser ac ymarfer, gallwn arafu llif y meddwl, gan agor y drws i haenau dyfnach o'n hymwybyddiaeth, a chaniatáu i ni gael persbectif cliriach ar ein profiad o fywyd. Yn y pen draw, down i werthfawrogi mai hanfod myfyrio yw ein gallu i dreulio mwy o amser yn y gofod *rhwng* ein meddyliau yn hytrach na chael mwy o amser i feddwl!

Mae myfyrio yn gysyniad eang iawn. Er enghraifft, gallwn drafod dulliau a thraddodiadau Tibetaidd, Tsieineaidd, Hindŵaidd neu Fwdïaidd o fyfyrio, heb sôn am y fersiynau gorllewinol, seciwlar, mwy diweddar, sy'n tarddu o'r traddodiadau hyn. Ond er bod amrywiaeth o ddulliau, maent oll yn rhannu nod tebyg, sef dyhead greddfol i ddod i ddeall mwy amdanom ni'n hunain. Mae'n anodd iawn disgrifio'r teimladau dwfn, mewnol, a brofir yn ystod myfyrdod ond yr un yw'r gred gyffredinol, sef bod myfyrio yn ysgogi rhyw deimlad o ddedwyddwch a heddwch; rhywbeth sydd i'w ganfod ym mhob un ohonom os down yn ddigon llonydd a thawel i'w deimlo.

Ond i gyrraedd y canol llonydd hwn, mae gofyn am ysbryd anturus a pharodrwydd i grwydro'n llwybrau mewnol ein hunain. Nid yw'r daith hon yn un hawdd bob amser, ac weithiau down ar draws elfennau ohonom sy'n anodd eu deall neu'n anodd eu hwynebu. Dyma pam ei bod hi'n fanteisiol i gael tywysydd wrth i ni fentro ar y daith fewnol, fyfyriol; rhywun sydd wedi mentro ar y daith hon o'n blaenau ac a all gynnig goleuni ar rai o agweddau mwy cymhleth y profiad. Ond o weithio'n ddyfal ac yn amyneddgar drwy'r profiadau hyn, down yn agosach at ddatblygu perthynas gyda'r llonyddwch dedwydd sydd wrth ein gwraidd, ac wedi i ni gyffwrdd â'r heddwch mewnol hwn unwaith, bydd yn gadael adlais persain sydd yn ein hudo'n ôl tuag ato dro ar ôl tro, gan gynnig hafan a lloches, waeth pa mor wyllt yw'r stormydd allanol.

Myfyrio

Mererid Hopwood

Oeda i gau'r drws ar fyd geiriau'r dryswch,
oeda, mae'n amser chwilio'r tynerwch,
eiliad i hawlio'r wlad o dawelwch,
eiliad i gael pen hewl diogelwch,
yr eiliad braf sy'n arafwch,
– eiliad yr hen wahoddiad
i rannu
heddwch.

A disgwyl, disgwyl nes dod esgor
yr awr wag lle nad oes dim rhagor
ond awel ac angel yn gyngor;
mae'n dweud:
'digon';
daw'r manion di-dor
i drefn,
cyll y cefnfor ei ofnau,
a daw'r eisiau
i gwrdd
â'i drysor.

Ymarfer

sganio'r corff

Dros y blynyddoedd diwethaf mae meddylgarwch, neu ymwybyddiaeth ofalgar, wedi cael lle blaenllaw yn ein cymdeithas ac mae'n gam cychwynnol arbennig o dda i unrhyw un sydd am ddatblygu'r ymarfer o fyfyrio. Mae meddylgarwch yn ein dysgu sut i fod yn bresennol yn y foment – sut i sylwi ar ein meddyliau a'n teimladau mewn ffordd wrthrychol, gan dderbyn ein profiadau heb eu barnu.

Gan gofio nad oes un dull o ymarfer sy'n addas i bawb, dyma un awgrym a all fod yn fan cychwyn da ar gyfer dy daith gyntaf o feddylgarwch a myfyrio.

1. Eistedda neu gorwedda mewn man lle'r wyt ti'n hollol gyfforddus, a lle na fyddi di'n debygol o gael dy styrbio wrth ymarfer. Cymer amser i setlo, a gwna unrhyw addasiadau angenrheidiol i dy ystum er mwyn sicrhau cysur. Pan fyddi di'n hollol gyfforddus, cymer anadl i mewn trwy dy drwyn, a rhyddha'r anadl mewn llif hir ac araf trwy dy geg. Wrth i ti anadlu allan, gad i'r llygaid gau.*

2. Sylwa sut mae dy gorff yn teimlo yn y foment bresennol. Oes yna unrhyw rannau o'r corff sy'n tynnu dy sylw'n syth? Beth yw rhythm dy feddwl ar hyn o bryd? Ydi o'n fywiog, neu'n fwy tawel? Oes yna unrhyw emosiwn amlwg rwyt ti'n ei deimlo? Beth bynnag fyddi di'n sylwi arno, paid â cheisio ei newid. Sylwa, ac yna, derbynia mai dyna sydd yn bresennol ar hyn o bryd.

3. Ar ôl i ti wneud y camau cychwynnol hyn, gosoda dy ymwybyddiaeth yn ysgafn ar gorun dy ben, ac yna, gad iddo grwydro'n dyner-chwilfrydig i lawr drwy'r gwahanol rannau o'r corff, gan nodi lle sy'n teimlo'n gyfforddus, a pha ardaloedd sydd sydd ddim mor gyfforddus. Paid â cheisio newid unrhyw beth, dim ond sylwi sut mae'r corff yn teimlo wrth i ti sganio i lawr yn araf yr holl ffordd at wadnau dy draed. Yn ystod y daith drwy'r corff, sylwa ar dueddiad y meddwl i grwydro oddi wrth y dasg. Pan fydd hynny'n digwydd, ceisia dywys y meddwl yn dyner yn ei ôl at y man diwethaf yr oeddet ti'n ei archwilio yn y corff, a charia 'mlaen.

4. Gelli di sganio unwaith neu sawl gwaith, mewn mwy o fanylder, neu lai, yn dibynnu ar dy anghenion a'th amgylchiadau, a'r amser sydd ar gael. Mae'r corff yn wahanol bob dydd, ac felly bydd pob ymarfer yn wahanol, gan roi cyfle i ni sylwi ar deimladau a synhwyrau newydd bob tro.

5. Ar ôl i ti gyrraedd gwaelod y traed, byddi di'n dod yn ymwybodol o dy gorff i gyd fel un cyfanwaith. A chofia sylwi ar sut mae pob rhan o'r corff yn cysylltu â'i gilydd, gyda phob cell yn cyfrannu ei chân i harmoni dy fodolaeth.

6. I orffen, tro dy sylw yn ôl at dy anadl ac am funud neu ddau teimla'r corff i gyd yn ehangu ac yn meddalu ar lanw a thrai pob anadl. Pan fyddi di'n teimlo'n barod, agora dy lygaid a bydd yn barod i ailymuno â llif dy ddiwrnod.

*Nid pawb sy'n gyfforddus gyda'u llygaid ar gau.
Mae'n hollol iawn eu cadw nhw'n hanner agored gan feddalu'r golwg ychydig fel nad wyt ti'n syllu ar unrhyw beth penodol.

Gorffwys

Tyn atat anal eiliadau na fu;
atat, ochneidiau'r dychymyg du;
na hola, mewn lludded, beth tybed sy'n bod?
Nac oedi uwch lluniau sydd eto i ddod.
Yma, yn llonydd, cau llygaid ar fyd
o fagu gofidiau, sy'n bryder i gyd,
a thyn atat garthen o gyntun prynhawn
yn drwm i'th gysuro y bydd popeth yn iawn.
Tyn atat eiliad; tyn atat ddwy;
gollwng di heddiw. Daw fory â mwy.

Sian Owen, 'Gorffwys'

Mae llawer o bobl yn meddwl fod cynnydd ac
aeddfedrwydd mewn yoga yn cael ei fesur gan y gallu i
greu siapiau diddorol gyda'r corff. Ond dydi hynny ddim yn wir.
Yn hytrach, yr hyn sy'n dangos cynnydd ac aeddfedrwydd yw'r
gallu i ymlonyddu, anadlu, gorffwyso a bod yn bresennol ym
mhob ennyd o'n bywydau. Ac mae hynny'n cymryd amser,
dycnwch ac amynedd.

Pan ddechreuais ymarfer yoga o ddifrif, roeddwn yn
ymarfer dull egnïol iawn ac wrth fy modd efo'r llif, yr ymdrech
a'r chwys! Bychan iawn oedd fy amynedd gyda'r syniad o orfod

gorwedd i lawr ar y diwedd. Wrth gwrs, byddwn yn aros yno'n ufudd gyda gweddill y dosbarth, ond y tu hwnt i hynny roedd fy meddwl ar ras, bysedd fy nhraed yn dawnsio, fy nghefn yn anniddig a minnau'n cyfri'r eiliadau nes byddai'r artaith o orffwys ar ben! Tybed ydi'r profiad yma'n swnio'n gyfarwydd?

Ugain mlynedd (a dau blentyn) yn ddiweddarach, dwi bellach yn cofleidio'r ymarfer o orffwys. A dwi'n fwriadol yn ei alw'n 'ymarfer' gan mai dyna ydi o. Yn union fel y down i feithrin ein cryfder a'n hyblygrwydd drwy yoga, mae dysgu sut i orffwys – yn ei lawn ystyr o ildio i'r profiad o wneud dim – yn cymryd yr un faint, os nad mwy, o ddisgyblaeth ac ymdrech. Felly'n naturiol dwi'n sylweddoli bellach mai un o symudiadau anoddaf a phwysicaf y dosbarth yw *savasana*, yr ystum olaf: gorwedd i lawr a gwneud dim byd o gwbl.

Mae pobl sy'n mynychu fy nosbarthiadau yn gyfarwydd â'm disgrifiad o yoga fel bocs tŵls o dechnegau gwahanol sy'n ein helpu i ganfod cydbwysedd yn ein bywydau, ac mae dysgu pa dwlsyn i'w ddefnyddio ar ba achlysur yn grefft hynod o ddefnyddiol. Erbyn heddiw, pan fydda i'n teimlo'r tanc egni yn dechrau gwagio, mae gen i syniad go dda beth sydd angen ei wneud i adfer fy hun, a rhannaf ychydig o hynny gyda chi ar ddiwedd y bennod hon.

Er fy mod i'n parhau i ddysgu bob dydd, dwi'n hapus iawn fy mod i'n gwybod bellach pryd mae angen gwasgu'r botwm 'stop' cyn i bethau fynd yn rhy bell. Ac ar ôl cymryd ennyd i orffwyso, dwi'n gwybod y byddaf yn dod yn ôl gyda mwy o angerdd, mwy o greadigrwydd, ac y byddaf yn llawn o'r egni angenrheidiol i wireddu fy nghynlluniau. Credaf mai gwybod pryd i stopio yw un o'r cryfderau sydd wedi cael eu tanbrisio yn aruthrol yn y gymdeithas fodern. Mae arwyddion fod hyn yn dechrau newid, a dwi wir yn gobeithio hynny, oherwydd rydyn ni, a'r byd, wedi ymlâdd. Yn fy marn i, mae'r argyfwng yn ein ecosystem yn adlewyrchu'r argyfwng mewnol y mae nifer ohonom yn ei deimlo. Rydyn ni wedi gwthio ein hunain, a'n planed, yn rhy galed ac yn rhy bell am ormod o amser.

Mae blinder yn anghynaliadwy. Ni allwn barhau yn ddiddiwedd, ac mae'r corff yn siarad drwy arwyddion, fel dylyfu gên a diffyg egni, ac yn dweud wrthym pryd mae angen gorffwys ac adfer. Ond er mwyn cyflawni holl ofynion ein bywydau prysur, dysgwn sut i anwybyddu'r arwyddion corfforol yma, weithiau drwy ddefnyddio mwy o gaffîn, siwgr a sylweddau eraill nad ydynt o fudd i ni mewn gormodedd. Efallai fod y darlun o fam flinedig yn jyglo pawb a phopeth ac yn dibynnu ar *wine o'clock* i ddadweindio yn un o'n *clichés* cymdeithasol mwyaf ni bellach, ond mae pob *cliché* â'i wraidd mewn gwirionedd! Y gwirionedd hwnnw, efallai, yw fod cymdeithas yn mynnu gormod gennym. Felly byddaf yn hoffi meddwl fod ateb yr alwad i orffwys yn weithred radical sy'n herio'r drefn gymdeithasol fel ag y mae, ac yn mynnu cydbwysedd newydd, ac iachach, yn ein byd. Alla i ddim meddwl am reswm pwysicach na hynny i gofleidio'r glustog.

Ar lan Llyn Cynwch

Annes Glynn

'Heddwch fel afon',
ond nid heddiw.
Y bore hwn
heddwch yw llyn, llonydd
ac eithrio dawns yr haul ar ei wyneb,
llafnau diemwntau mân,
a dwy hwyaden
yn llithro'n hamddenol rhyngddynt,
mor ddigyffro â'r awel.

Na, nid diwrnod i afon a'i pharablu prysur
mo heddiw.
Datodaf fy mhwn, llacio'r clymau
fel y gwna'r canghennau cnotiog
sy'n ymestyn o'r dŵr.
Ildiaf i lepian y mân donnau,
synhwyro'u balm yn lliniaru fy ngwadnau
a'm calon aflonydd.

Ymarfer

yoga adferol a yoga *nidra*

Wedi geni fy merch, Sisial, yn 2012, fe ddiflannodd rhywbeth nad oeddwn i wedi ei werthfawrogi digon cyn yr enedigaeth, sef cwsg. Fel nifer fawr o fabanod, roedd Sisial yn hoffi bod yn agos iawn at Mam drwy'r amser, ac roedd hi'n bwydo rownd y ril, a bu hynny'n dipyn o sioc i'r system. Ymhen pythefnos ar ôl ei genedigaeth, roeddwn wedi llwyr ymlâdd ac yn dioddef o *mastitis*. Dwi'n cofio edrych ar Sisial yn cysgu'n braf yn fy nghôl gan fawr ofni'r eiliad y byddai hi'n deffro eisiau bwyd, ac allwn i ddim wynebu'r boen.

Yn ystod galwad ffôn ddagreuol y diwrnod hwnnw, dyma fy ffrind yn f'atgoffa o ymarfer o'r enw yoga *nidra*. Ymarfer myfyrdod dan arweiniad yw yoga *nidra*, sydd â'r nod o'n tywys i stad ymlaciol sy'n edrych yn debyg iawn i gwsg, ond ein bod yn ymwybodol ohonon ni'n hunain wrth wneud yr ymarfer.

Mae sesiwn yoga *nidra* traddodiadol fel arfer yn para oddeutu deugain munud, ond mae sesiynau byrrach i'w cael hefyd y dyddiau hyn. Pa drywydd bynnag y byddi'n dewis ei ddilyn, mae'n debyg y bydd pob un yn cychwyn gyda chyfarwyddyd i wneud dy hun yn gyfforddus a pharatoi i ymlacio. Wedi hynny, bydd cymalau gwahanol i'w dilyn, oll yn annog yr ymennydd i arafu ei donfeddi gan dywys yr ymarferydd i stad o ymlacio dwfn. Yn hyn o beth, ystyrir fod deugain munud o *nidra* yr un mor adferol i'r corff a'r meddwl â phedair awr o gwsg dwfn. Fel mam i fabi ifanc oedd prin yn cysgu, hawdd deall apêl a pherthnasedd yr ymarfer i'm sefyllfa ar y pryd, ac o'r diwrnod hwnnw ymlaen daeth yoga *nidra* yn rhan o fy ymarfer dyddiol, a dyna wnaeth y gwahaniaeth mwyaf i mi yn ystod misoedd cyntaf Sisial.

Cyfunais y *nidra* gydag ymarfer 'yoga adferol' yn rheolaidd. Mae yoga adferol yn ddull penodol o ymarfer sy'n gofyn am ddefnydd hael o glustogau a blancedi i gynnal y corff mewn ystumiau sydd o fudd i ni, heb i ni orfod ymdrechu o gwbl. Byddwn yn dal pob ystum am gyfnod o rhwng 5 ac 20 munud, er mwyn caniatáu digon o gyfle i'r corff ryddhau haenau o densiwn.

Buaswn yn awgrymu i unrhyw un roi cynnig ar y ddau ymarfer hwn, yn enwedig os wyt ti'n cael dy effeithio gan ddiffyg cwsg neu gyflwr iechyd sy'n achosi teimladau cyson o flinder. Mae llu o adnoddau i'w cael yn rhad ac am ddim ar y we fel man cychwyn. Prysuraf i nodi nad ydynt yn gweithio fel pilsen hud dros nos, ond dros gyfnod o amser efallai y byddi di, fel fi, yn gweld cryn wahaniaeth.

Epilog:
Cynghanedd

Un o brif ystyron y gair 'cynghanedd' yw harmoni a phan fo llinell o farddoniaeth yn cynganeddu, mae ei harmoni i'w glywed yn glir. O fyw gyda bardd cynganeddol, dwi wedi bod yn dyst ar sawl achlysur i'r rhwystredigaeth a'r anhawster o ddod â chlwstwr o sillafau a geiriau ynghyd mewn ffordd sy'n creu cynghanedd, ac yn gwneud synnwyr!

Dydi hyn ddim yn annhebyg i'r broses o weithio gyda'n corff wrth ddysgu *asana*, sef symudiadau corfforol yoga. Ar y dechrau mae'n debygol y bydd y meddwl yn crwydro, a'r corff yn teimlo'n drwsgl a rhanedig, wrth i ni geisio deall sut mae'r darnau ohonom yn asio gyda'i gilydd i greu'r siapiau. Gydag amser a dyfalbarhad, down i ddeall sut i drin y corff a'r meddwl gyda chariad a thynerwch, yn hytrach na cheisio ei wthio a'i siapio. Ac yna, yn araf bach, fe ddaw'r darnau ohonom, oedd unwaith ar wahân, i gydweithio a chydblethu mewn harmoni. Cynghanedd y corff.

Ond mae gwir botensial yoga i'w ganfod yn ein gallu i drosglwyddo'n profiadau ar y mat i'n bywydau y tu hwnt i'r ymarfer. Wrth ymarfer, cawn gyfle i ddysgu sut i greu cytgord rhwng y gwahanol rannau ohonom, a thu hwnt i'r ymarfer mae cyfleoedd lu i ni adleisio hynny gyda'n teuluoedd, ein cymdogion a'n ffrindiau a phobl ar y stryd.

Mae hyn yn aml yn mynd ar goll yn y marchnata slic ar ddisgyblaethau fel yoga a meddylgarwch, lle rhoddir y pwyslais gan fwyaf ar iechyd a lles yr unigolyn. Ond os nad ydi'n dulliau o wella ein lles ein hunain – boed hynny drwy yoga, myfyrio neu unrhyw beth arall – yn cael effaith gadarnhaol ar y ffordd yr ydym yn ymwneud ag eraill a'r byd naturiol o'n cwmpas, yna beth yw'r pwynt?

Roedd B.K.S. Iyengar, un o athrawon yoga mwyaf dylanwadol yr ugeinfed ganrif, yn hoff o atgoffa ei ddisgyblion fod canfod heddwch rhwng cenhedloedd yn ddibynnol ar ganfod heddwch o fewn y genedl fechan sydd y tu mewn i bob un ohonom (Iyengar, 1966). Weithiau mae disgyblaeth yoga yn cael ei dehongli fel rhywbeth sy'n ein helpu ni i 'ffoi' oddi wrth broblemau'r byd, ond, i mi, ymhell o fod yn llwybr sy'n ein tynnu i ffwrdd oddi wrth lif y byd a'i bobl, mae taith ysbrydol yoga yn ein dysgu sut i fyw yn y byd mewn modd mwy medrus, ystyrlon a chariadus. Ac wrth gwrs, nid yoga yw'r unig ffordd o ddysgu hynny. Dyna'r llwybr dwi'n bersonol wedi ei ddilyn, ond gwn fod sawl llwybr arall yn arwain at yr un canfyddiad.

I mi, sut bynnag yr awn ati, dod o hyd i'r gynghanedd rhwng ein gilydd yw'r gwaith pwysicaf un.

Pan fo'n heno'n llawn anhunedd, mae modd
 i'r meddwl gael gorwedd
 o'i wreiddio'n nwfn rhuddin hedd,
 yng ngho' hŷn ein cynghanedd.

Aneirin Karadog

Geirfa

ahimsa

'Di-drais' yw ystyr *ahimsa* yn yr iaith Sanskrit ac mae iddo ystyr ehangach, sef cariad ffyddlon a thrugaredd tuag at bawb a phopeth.

asana

Math o ystum llonydd a wneir wrth fyfyrio ac sydd bellach yn cael ei ddefnyddio'n gyffredinol am symudiadau corfforol yoga.

metta bhavana

Math o fyfyrdod Bwdïaidd i feithrin caredigrwydd cariadus (*loving-kindness*) tuag at bawb. Ystyr *metta* yw 'cariad' ac mae *bhavana* yn golygu 'datblygu' neu 'dyfu'. Maent yn deillio o'r iaith Pali sy'n gysylltiedig â Bwdïaeth.

nadi(s)

Defnyddir y gair Sanskrit *nadi* wrth gyfeirio at rwydwaith o sianeli sy'n cludo 'egni' (*prana*) drwy'r corff.

nidra

Mae ymarfer yoga *nidra* (*psychic sleep* neu *yogic sleep*) yn golygu tywys y corff i fyfyrdod dwfn iawn nes bod y corff a'r meddwl mewn cyflwr o ymorffwys ac ar drothwy cwsg.

Pali

Iaith a gysylltir â thraddodiadau Bwdïaeth yn yr India, sef y gyfundrefn grefyddol a sefydlwyd gan Bwda.

Patanjali

Dyn doeth a enwir fel awdur yr *Yogasūtra* neu 'The Yoga Sutras of Patanjali' – llyfr sy'n dyddio 'nôl i ganrifoedd cyntaf y mileniwm diwethaf. Does neb yn siŵr pwy oedd Patanjali ond mae chwedlau wedi datblygu o'i gwmpas. Yn yr iaith Sanskrit, ystyr *sutra* yw 'edau' a bwriad y *sutras* hynafol oedd plethu gwybodaeth gymhleth a dwfn mewn dull cywrain, gan ei grynhoi mewn ychydig eiriau neu sillafau syml. Mae *sutras* i'w cael mewn sawl maes gwybodaeth, nid dim ond yoga. Ystyrir llyfr Patanjali fel y testun sylfaen ar gyfer meithrin dealltwriaeth o athroniaeth yoga glasurol.

prana

Gair Sanskrit sy'n golygu 'egni' ac a ddefnyddir mewn athroniaeth yoga i gyfeirio at yr egni sy'n treiddio drwy bopeth yn y byd. Yn y corff, mae *prana* yn llifo drwy sianeli egni a adwaenir fel *nadis*.

pranayama

Gair ac iddo ystyr debyg i *prana* ond sy'n golygu 'egni' ynghyd â 'rheolaeth' ac 'ymlediad'. Fe'i defnyddir wrth ymarfer anadlu yn bennaf.

qi / chi

Ystyr *chi* mewn athroniaeth Tsieineaidd yw unrhyw beth yn ymwneud ag egni neu rym anweledig sy'n mynd drwy'r corff.

samasthiti

Ystum allweddol wrth ymarfer yoga, sef sefyll gyda'r coesau'n gytbwys a'r corff yn llonydd ac yn teimlo'n gwbl gymesur.

Sanskrit

Iaith glasurol yr India a Hindŵaeth. Mae llawer o eiriau ac ymadroddion a ddefnyddir wrth ymarfer yoga yn tarddu o'r iaith hon.

santosha

Ystyr lythrennol y term yn yr iaith Sanskrit yw *sam* 'bodlon' neu 'digon' a *tosha* 'bodlondeb'. Caiff ei ddefnyddio fel gair i ddisgrifio agwedd o fodlonrwydd llwyr ynghyd â'r teimlad mewnol, dwfn o fod yn gwbl heddychlon.

satyagraha

Dyma'r enw roddodd Mohandas K. Gandhi ar y dull o weithredu di-drais a ddefnyddiwyd ganddo, yn gyntaf, wrth ymgyrchu dros hawliau Indiaid yn Ne Affrica, ac yna, fel rhan o ymgyrch annibyniaeth yr India. Y cyfieithiad bras yw 'grym gwirionedd', ond yr ystyr llawnach fyddai 'y grym a gynhyrchir trwy lynu at y gwirionedd'. I Gandhi, roedd y dull o weithredu yr un mor bwysig â'r canlyniad. Nod ymarferydd *satyagraha* yw argyhoeddi, nid gorfodi, ac i wneud hynny drwy ddulliau gweithredu heddychlon. Mae'r feddylfryd a'r dull yma o weithredu yn parhau i ysbrydoli ymgyrchwyr di-drais ledled y byd.

savasana

Enw ar fath o ystum gorweddol a wneir ar ddiwedd ymarfer yoga er mwyn ymlacio'r corff yn llwyr. Gelwir yr ystum hwn yn Saesneg yn *corpse pose*.

shinrin-yoku

Therapi Siapaneaidd sy'n golygu gadael i'r corff ymdrochi mewn coedwig a cheisio gwellhad drwy gysylltu â natur, coed a gwyrddni.

sthira

Mae *sthira* yn air Sanskrit sydd yn golygu cadernid neu gryfder. Caiff ei ddefnyddio gan Patanjali mewn pethynas â'r gair *sukha* i ddisgrifio'r cydbwysedd y dylid ei feithrin yn y corff wrth eistedd i fyfyrio.

sukha

Gair o'r iaith Sanskrit sy'n golygu 'hapusrwydd' a hwnnw'n
fath neilltuol o ddwfn o ddedwyddwch parhaus. Mae hefyd
yn golygu 'bod yn gyfforddus', ac mae Patanjali yn nodi y
dylai *asana* (safle corfforol i fyfyrio) fod yn gydbwysedd
o *sthira* a *sukha*.

surya namaskar

'Cyfarch yr Haul' (*Sun Salutation*), sef cyfuniad o'r geiriau
Sanskrit *surya* ('haul' neu 'Duw yr haul') a *namaskar*
('cyfarchiad parchus'). Mewn ymarfer yoga corfforol heddiw,
mae'n cyfeirio at gyfres o ystumiau a wneir ar ôl ei gilydd
i ysgogi rhediadau drwy'r corff. Does neb yn sicr o darddiad
hanesyddol y gyfres hon o symudiadau ond mae'n arferiad
i'w gwneud er mwyn cynhesu'r corff. Gall *surya namaskar*
hefyd fod yn ddefod foreol o lafarganu *mantra*, boed
hynny gyda neu heb symudiadau, wrth i'r haul godi.

tadasana

Enw'r iaith Sanskrit ar ystum a adwaenir fel 'Ystum y Mynydd'
wrth ymarfer yoga. Mae'n gyfuniad o'r geiriau *tada* 'mynydd'
ac *asana* 'sedd' neu 'ystum'.

Llyfryddiaeth a Darllen Pellach

Edwards, L. (2021: addasiad Cymraeg gan L. Karadog) *Plentyn Om: Dwi'n Hapus: Y Chakra, Lliwiau, Teimladau* (Rily).

Edwards, L. (2021: addasiad Cymraeg gan L. Karadog), *Plentyn Om: Dwi'n Garedig: Ahimsa, Trugaredd, Cymuned* (Rily).

Hamilton, D. (2017), *The Five Side Effects of Kindness: This Book Will Make You Feel Better, Be Happier and Live Longer* (London: Hay House UK).

Iyengar, B. K. S (1966), *Light on Yoga* (New York: Schocken Books).

Kempton, S. (2011), *Meditation for the Love of it: Enjoying Your Own Deepest Experience* (Boulder: Sounds True, Inc).

Lasater, J. (2000), *Relax and Renew: Restful Yoga for Stressful Times* (Rodmell Press).

Mererid, L. (2019), *Y Goeden Ioga* (Y Lolfa).

Mererid, L. (2021), *Y Wariar Bach* (Y Lolfa).

Parri, N. (2019), *Cwmwl Cai* (Y Lolfa).

Robson, D. (2020), 'Why slowing your breathing helps you relax', *Beyond the 9-5* [BBC]. Ar gael: https://www.bbc.com/worklife/article/20200303-why-slowing-your-breathing-helps-you-relax (Cyrchwyd: Awst 2021).

Schiffmann, E. (1997), *Yoga: The Spirit and Practice of Moving into Stillness* (New York: Gallery Books).

Williams, F. (2017), *The Nature Fix: Why Nature Makes Us Happier, Healthier, and More Creative* (New York: W. W. Norton & Company).

Williams, M. & D. Penman (2020): *Meddylgarwch: Canllaw Ymarferol i Ganfod Heddwch Mewn Byd Gorffwyll* (Y Lolfa); Cyfieithiad Cymraeg o *Mindfulness: A Practical Guide to Finding Peace in a Frantic World*.

Zaki, J. (2019), *The War for Kindness: Building Empathy in a Fractured World* (London: Robinson).

Zeng, X. ac eraill (2015), 'The effect of loving-kindness meditation on positive emotions: a meta-analytic review', *Frontiers in Psychology*, Vol. 6. Ar gael: https://www.frontiersin.org/articles/10.3389/fpsyg.2015.01693/full (Cyrchwyd: Awst 2021).

Gweler hefyd yr amrywiol gyfieithiadau o *The Yoga Sutras of Patanjali* a hefyd, *Y Fendigaid Gân* (Gwasg Prifysgol Cymru), cyfieithiad Cymraeg o'r *Bhagavad Gita* gan yr Athro Cyril G. Williams.

Cydnabyddiaethau

Hopwood, M. (2015), *Nes Draw* (Gwasg Gomer).

Jones, D. (2010), *Cerddi Dic yr Hendre* (Gwasg Gomer).

Owen, S. (2015), *Darn o'r Haul* (Cyhoeddiadau Barddas).

Williams, C. (1991), *Y Fendigaid Gân* (Gwasg Prifysgol Cymru).

Williams, W. (1956), *Dail Pren* (Gwasg Gomer).

Gyda diolch hefyd i Annes Glynn, Hywel Griffiths, Hanna Hopwood Griffiths, Elinor Gwynn, Mererid Hopwood, Rhys Bevan Jones, Aneirin Karadog, Llŷr Gwyn Lewis, Wynford Ellis Owen, Elinor Wyn Reynolds, Lleuwen Steffan a Casia Wiliam.